數位社會性溝通課程：提升說話技巧的 43 堂課

指導手冊

張正芬、李秀真、林迺超、鄭津妃、
顏瑞隆、張雯婷、黃雅君　著

作者簡介

張正芬

學歷：日本國立筑波大學教育研究所碩士

經歷：國立臺灣師範大學特殊教育學系講師、副教授、教授

　　　　國立臺灣師範大學特殊教育學系教授兼系主任

　　　　國立臺灣師範大學特殊教育學系教授兼特殊教育中心主任

現職：國立臺灣師範大學特殊教育學系退休教授，兼任教授

李秀真

學歷：國立臺灣師範大學特殊教育學系碩士

經歷：高雄市民族國中特教代課教師

　　　　臺北市螢橋國中特教教師、組長

　　　　臺北市北區特殊教育資源中心鑑定支援教師

現職：臺北市螢橋國中特教教師

林迺超

學歷：國立臺灣師範大學特殊教育學系博士

經歷：臺北市情緒行為問題專業支援教師

　　　　臺北市立大學特殊教育學系兼任助理教授

　　　　國立臺灣師範大學特殊教育學系兼任助理教授

現職：臺北市劍潭國小特教教師

　　　　國立臺灣師範大學特殊教育學系兼任助理教授

鄭津妃

學歷：國立臺灣師範大學特殊教育學系博士

經歷：臺北市立大學附小特教班、資源班、資優班教師、

　　　輔導室融合教育組長

　　　臺北市情緒行為問題專業支援教師

　　　國立臺灣師範大學、臺北市立大學兼任助理教授

現職：臺北市立大學附小特教教師

　　　臺北市北區特殊教育資源中心鑑定支援教師

顏瑞隆

學歷：國立臺灣師範大學特殊教育學系博士

經歷：臺北市中山國小特教教師

　　　教育部國民及學前教育署特殊教育輔導團中央分團

　　　課程教學組組長

　　　國立臺北教育大學特殊教育學系兼任助理教授

現職：臺北市西區特殊教育資源中心主任

張雯婷

學歷：國立臺灣師範大學特殊教育學系學士

　　　　美國州立華盛頓大學特殊教育研究所碩士

經歷：臺北市國中資源班特教教師

　　　　臺北市情緒行為問題專業支援教師

　　　　臺北市立大學幼兒教育學系兼任講師

現職：臺北市雙園國中教務主任

黃雅君

學歷：國立臺灣師範大學特殊教育學系碩士

經歷：國立彰化特殊教育學校特教教師

　　　　臺北市情緒行為問題專業支援教師

現職：臺北市新興國中特教教師

製作團隊

主持人

張正芬教授

研究助理

專任：吳柔旻小姐

兼任：顏瑞隆老師

故事腳本、作業單、教學簡報設計

李秀真老師、林迺超老師、鄭津妃老師、顏瑞隆老師、

張雯婷老師、黃雅君老師

動畫製作

吳柔旻小姐

實驗教學老師

國小組

江亞衛老師、江佳穎老師、李佩臻老師、李孟儒老師、

李雅雯老師、卓美婷老師、林士揆老師、林泳鋅老師、

林迺超老師、張嘉恒老師、莊雍純老師、陳宜君老師、

陳逸之老師、陸瑋真老師、黃子瑜老師、詹惠芳老師、

蔡佳珍老師、蔡舒蓉老師、鄭津妃老師、顏瑞隆老師

國中組

李秀真老師、張雯婷老師、黃雅君老師

作者序

　　筆者於國立臺灣師範大學特殊教育學系任教期間，長期帶領大學部、碩博士班學生進行自閉症（Autism spectrum disorder）學生的相關研究與教學，也會邀請國中小特殊教育老師參與研究團隊的教材編輯與實驗教學。實驗教學均於臺灣師大特教系實驗室進行，取名為「麻吉營」，為小團體持續性的週末營隊。麻吉營至少進行了十二屆，為自閉症學生和未來的老師及現職老師提供了一個愉快的教學相長的實驗場域，也是一個理論與實務接軌的園地。課程內容包括社會性溝通課程、心智理論課程、休閒活動及點心時間。

　　其中，「心智理論（Theory of mind）課程」主要在協助兒童發展情緒及人際互動能力，孩子參與教學後，在情緒覺察、同理他人及合作、分享等方面都顯現出效果，麻吉營也得到家長的肯定，每次推出課程，瞬間報名額滿。心智理論課程採用過圖畫、紙本、電腦等媒材，其中以電腦的數位教學效果最佳，非常適合視覺學習優勢的自閉症學生。筆者在國科會專題研究計畫補助下，以多年來在麻吉營進行心智理論課程所奠下的基礎，擴充編輯團隊並研發完成數位教材計50單元，除於麻吉營實驗其教學成效外，也在學校進行小規模的實驗教學，並據以修改教材內容。在著作授權下於 2012 年由心理出版社出版，書名為《數位社會性課程教學攻略——在高功能自閉症與亞斯伯格症之應用》（附數位教材光碟）。此書問世後，為現場教師提

供一套有系統、有趣和容易上手的數位教材，迄今獲得許多使用者的正面回饋。

　　社會性溝通中，會話是最被關注的議題之一。從打招呼開啟話題開始，到一來一往的輪流說話、接續他人話題使對話得以延續，到話題結束中止互動為止，是每一個人每天都要重複非常多次的溝通行為。由於過於日常，所以大多數人是從小在生活中自然習得，並不需要特別透過課程來學習。但對於溝通能力較弱、溝通技巧差或社會互動經驗缺乏的學生而言，會話能力不佳是顯而易見的問題，但卻缺乏有系統的教材可以教導他們。對自閉症兒童而言，更是如此。因此麻吉營的另一主要課程為社會性溝通課程，其目的是提升輕度自閉症學生的語用能力，尤其著重在社會互動過程中與人對話的基本能力的教學。營隊老師針對兒童在會話過程中常見的開啟、維持話題困難、隨意打斷、突兀的中止話題等現象設計相對應的單元進行教學，如，打斷部分，透過教導正確打斷的時機和正確打斷的方式，同樣可以看見學生的進步與家長的肯定。

　　由於有先前「心智理論課程」研究團隊有效研發、編製完成可供推廣的數位社會性課程的經驗，筆者繼續籌組團隊，以設計一套以會話分析理論為主，具情境、有系統性與系列性的數位社會性溝通課程為目的。在科技部的經費贊助、研究團隊的努力及麻吉營學生和家長的參與下，歷經兩年完成本課程的編製。本課程依溝通情境、溝通對象、學生能力程度等，分別針對開啟、輪流（含打斷）、維持及結束四個會話結構，共設計有 43 個動畫單元，每個單元均搭配有教學

PPT、作業單等，是一套具系統又完整的數位教材。過程中值得一提的是，在普通班測試時，學生們不但聚精會神地看動畫影片、回答問題，並在完成後紛紛表示有趣，而普教老師亦回饋這套數位溝通材料也非常適合普通班學生使用，不只是特教生需要。在普通班學生與教師高度正向回饋下，無疑給了辛苦投入研發與製作工作的團隊大大的肯定，也增強了我們將它出版以擴大使用範圍的決心。但因為本套課程內容龐雜，又逢疫情肆虐，在多方不便下，慢慢澆熄了出版的熱情。

COVID-19 疫情期間，在學習不中斷的前提下，學生度過了漫長的三年線上課程與實體課程交錯或混成的歲月，學習效果如何雖有待進一步評估，但不可否認的，大家的數位能力、數位學習環境驟然間提升、改善了許多，對數位教材的需求也跟著高漲。感謝心理出版社林敬堯總編輯的支持、鼓勵與不放棄，總是過一段時間就問候我進度如何，還提前與臺灣師大簽了著作授權出版合約，讓我無路可退；此外，要特別感謝林迺超老師及李秀真老師在最後一刻投注入量心力統整包括《溝通密技小書》、溝通流程海報、教學光碟等所有教材內容；當然更感謝團隊所有成員在這段時間的努力與付出！我們終於又能為特殊兒童及需要增進會話基本能力的學生提供一份易懂易學的數位課程了！衷心期盼此套課程能帶給家長、老師及相關專業人員一個系統化、生活化及有效的參考課程！

國立臺灣師範大學特殊教育學系　退休教授

張正芬

目 次

數位社會性溝通課程
教學手冊

一、前言

　　從嬰兒呱呱墜地開始，父母常拿著《兒童健康手冊》中的兒童發展連續圖及各種發展里程碑，對應著孩子的表現，以確認寶寶的發展是否有跟上。其中，語言發展一直是父母最關注的焦點。語言發展的里程碑，代表大多數嬰幼兒會遵循「共通的」發展順序依序發展，只是可能受到環境因素、個體因素等影響，而有快慢的差別，例如：5、6 個月大的嬰兒會進入咕咕期和牙牙學語期，三不五時發出「ㄅㄅ」、「ㄇㄇ」的聲音，慢慢地，和主要照顧者玩發聲遊戲的時間增加；到 1 歲左右時，幼兒開始能說一些日常生活中常聽到的字詞，如媽媽、bye-bye 等，也會配合動作與簡單的短句表達自己的想法，如出去玩、要或不要、想睡覺等；2 歲左右單字量增加，使用組合詞的能力變好，如寶寶會說媽媽抱抱、鞋鞋穿穿、手手痛痛等雙詞短句來表示自己的內在需求。幼兒大概自 2、3 歲起，語言的理解與表達都快速發展，不僅聽得懂多數日常生活中常用的語言，詞彙量也增加，語句也加長了，更能正確使用語法，表現出像小大人一般的說話姿態。等到進了幼兒園，隨著生活圈子擴大，同儕間、師生間的對話頻繁，相互模仿學習的機會增加，兒童的語言能力也日益進步。

　　一般談到語言，有四個要素：語音、語意、語法與語用。語音，指的是說話的聲音，包括音質、音高、聲量、共鳴、流暢度等；語意，指的是字詞意義與概念的規則；語法，指的是組織有意義句子的規則；語用，指的是如何在日常生活中適當運用聲音、字詞彙、語法

等語言要素，有效地與人溝通互動。

　　溝通是人類用來建立人與人之間的訊息交換、情感交流、達成社會性互動並建立良好人際關係的最重要關鍵能力。在溝通過程中，人們如何說話，如何搭配眼神、手勢、肢體動作等來進行溝通，常會影響到溝通的效能。

　　說話是一件不容易的事，話若能說得好，不僅能正確、有效地傳遞想說的事、獲得想要的物品、得到對方的認同與支持，更有甚者，能讓對方產生同感進而做出善意的回應，最終圓滿達成溝通目的。相反地，不會說話或說不好話，不僅難以達成溝通目的，還容易讓人心生不悅、橫生誤會、關係斷裂甚或惹禍上身。因此，如何說話是一門須終身學習的課程，更是一門藝術。

　　說話亦是日常生活中極為重要的人際活動。在兩人之間或多人之間的會話過程中，不論是聽者或說者，皆須隨時參照說話對象的年齡、角色、情緒、話題、情境等條件，調整自己的說話時機、語氣、內容等，以達到資訊交換、情感交流或溝通協調等目的。

　　長期以來，會話被認為是隨興、瑣碎、沒有規則的，甚至是不具特定目的的日常生活對話，故遲至 1960 年代才開始受到學術界的重視，對會話展開一系列的研究，從大量的真實語言資料中尋找反覆出現的規則，歸納出會話的主要結構——一些自然語言的構成規律，也就是會話分析的基本規則。

　　Sacks、Schegloff 與 Jefferson（1974）對會話結構的研究，主要分為整體結構及局部結構二大部分。整體結構著重一個完整會話過程的

構成，包括開啟（opening）、本體（bodying）及結束（closing）；局部結構著重於一次會話活動中，兩位說話者在發言之間一問一答的輪替。Weiss（2004）認為人際間的交談對話主要包括五個要素：（1）主動開啟話題；（2）聽者與說話者角色間的轉換；（3）話題的維持；（4）溝通訊息不清楚時的修正或補充說明；（5）話題的結束（引自錡寶香，2009）。Adams、Green、Cilchrist 與 Cox（2002）則是將互動歷程評量分為六個向度，分別是溝通意圖、言語行為、開啟與反應、修復與輪流、連接（cohesion）、主題與篇章連貫性（coherence）。由上述學者們對會話結構的觀點，大致上可歸納成開啟、輪流（含打斷）、維持（含修復）與結束四大要素。一般兒童從小到大，會透過與家人、同儕、老師、社區人士等互動過程中，經由他人示範、教導、提醒、模仿、修正等隨機的指導，自然而然學會並嫻熟應用這四大要素，故會話結構很少列入學校正式課程中教導。

　　以下簡單介紹此四個最常見的會話結構：開啟、輪流、維持和結束的內涵。

（一）開啟

　　話題的開啟重點在於會話者間所談論的內容須適合會話的對方。會話雙方或多方在話題的開啟時需將對方年齡、熟悉程度、時間、場合等因素納入考量，才會是適當的、讓人感覺愉悅的開啟。話題的開啟可以包括下列主題：（1）社會慣例性的語言，如問好、最近做何事等；（2）討論過去或是未來的主題，如新聞事件等；（3）與此時

此刻有關的主題，如天氣、正在做的事等。除了開啟內容外，還須配合適當的非口語行為，像是眼神、微笑、揮手等。

（二）輪流

　　輪流，就是會話時的話輪（turn）轉換，以下以輪流稱之。會話時最好一次只有一個人發言；若有兩個人同時說話會出現重疊，若兩個人同時都不說話則出現冷場。

　　在正常情況下，人們大多遵循著一人一次、一問一答的形式來展開對話。用會話分析學派的術語來說，在會話中一個說話者從開始到結束就構成一個話輪。李秀真與張正芬（2009）整理 Sacks 等人（1974）、Schegloff（2001）等多位學者有關會話互動過程中的話輪構成及話輪轉換過程等的基本規則如下：

1. 如果說話者直接選擇了下一個人說話，被選到的人有權利也有責任執行說話的任務，也就是他拿到了說話權也同時有了要回答的義務；但其他的談話參與者就沒有此權利和責任。

2. 如果說話者沒有直接選擇任何一個人說話，這時在場的每一個人都有權利說話，誰先說話誰就先拿到發言權，當然，也可以選擇不說話。在這種情況下，任何一個先發言的人都有發言權，或者把話輪移交給別人。

3. 如果說話者沒有直接選擇任何人做下一個發話的人，除非這時有人主動發言，否則當前的說話者自己也可以繼續說話，但這不是必須的。

在話輪轉換過程中，有時會出現當前說話者話輪結束前，另外一位說話者就開始說話的狀況，或者是另外一位說話者搶奪發言權，使當前的說話者失去了發言權，無法順利完成其自身的話輪，此即為「打斷」。「打斷」被認為是一種違反會話禮儀的行為，但有時也是一種社會結構組織中支配或是階層關係的指標。當必須要「打斷」時，有下列原則宜注意：

1. 主題要與說話對象有關。
2. 必須與當前的主題談話有相關。
3. 打斷的方式要有禮貌。
4. 必須在結構中開啟一個新的話輪，且這樣的話輪會有進程性。

（三）維持

話題是在會話過程中，會話參與者溝通的核心內容、主題與行為。話題維持涉及說話者的內容與主要話題的相關程度，會話參與者會藉由延伸、擴展話題等方式，來達成話題的維持；相反地，若說話者說出與核心主題不相關、模糊不清、怪異的語詞或內容時，會話就難以維持下去。一般而言，話題維持的能力，在學前階段就已經發展出來，就讀小學的一般學生應該都已經具備此項能力了。常見的話題維持方式有以下幾種：（1）直接回應，使用回應問題的方式，也就是直接回答先前的提問；（2）另做回應，用一些方式去回應，以確認先前說話者所說的話語內容；（3）混合話題，在話題中加入一些

訊息，或是要求一些訊息，或是統整先前的訴求等；（4）轉折，在話題與話題之間，暗地裡改變重點，而不是直接明顯地切換話題；（5）要求修復，例如要求對方再說一次、確認或澄清。

（四）結束

　　會話通常結束於達成溝通意圖、目的，或是會話破裂（Gustafson & Dobkowski, 1994）時。當話題已經被說完、沒有人有意願接續或重啟話題，或是會話時間即將結束時，其中一方會運用肢體訊息、直接口說，或是雙方沉默的方式來結束這個話題；而會話的另一方則可透過開啟新話題，或以雙方皆同意的社會化習慣來結束話題。

　　會話是一種合作性的社會活動，在對方話語未盡的情況下，唐突地結束會話是不禮貌的行為。反之，若雙方想說的話都已經說完卻還不結束談話，則會使人感到尷尬或難堪。Schegloff 與 Sacks（1973）認為，會話的結尾包括三個基本的組成部分：結束序列（closing sequence）、前置結束序列（preclosing sequence）及話題界線序列（topic bounding sequence）。

　　結束序列表示一次會話的正確結束，通常由「再見」、「晚安」、「明天見」、「再連絡喔」等道別語構成。但在正確結束前，雙方都會發出一些信號，如用下降的音調和拖長的聲音說出「沒問題」、「好的」、「差不多了」或「就這樣囉」的詞語，向對方表明自己已經沒有更多的話可說了，讓對方考慮是否還有別的話題要談，如果對方也認為可以結束了，他就會做出一定的表示，如「好喔」、

「下次再談」等。這種雙方一致同意結束會話的表示，即稱為前置結束序列。

在前置結束序列出現之前，說話的雙方應該表示出對某一話題的交談已經結束，這就是話題界線序列。話題界線序列的內容很多，常因話題內容或雙方關係不同而異，常見的有問候對方的家人、安排活動、提醒對方約會的時間及地點等，另外，也可對談話做簡單歸納。

以上的會話結構對一般兒童而言，會極其自然地在日常生活場域中學會。但有些兒童可能因為環境因素，如文化殊異或不利；個體因素，如發展遲緩、語言障礙、自閉症、智能障礙等，而未能在自然環境中與典型發展兒童一般，以同樣速率學習到會話結構的四大要素——即適當而合宜地開啟、輪流、維持與結束，導致他們在會話過程中，經常出現顯而易見的問題，如：不知道怎樣開啟話題、過度靜默或插話、不會接續話題或突兀地結束話題等，致使溝通難以順利進行，也常造成會話對方的不悅或雙方間的衝突。

對於上述可能無法直接於自然環境中，透過隨機的、潛在教育的方式而獲益的兒童，教導他們學習適切的會話是刻不容緩的。如果我們期待這些兒童與他人說話過程中具備基本會話的能力，那麼便需盡早有系統且生活化地予以教導開啟、輪流、維持和結束等會話相關細節與技巧。

以下以自閉症兒童為例，說明他們在社會溝通領域常見的困難。自閉症兒童因其異質性大，在溝通的表現上也呈現極大的變異，從對

人不感興趣、完全無口語、很少和別人進行有效溝通的重度自閉症兒童，到喜歡和人互動，字彙豐富且滔滔不絕於述說自己感興趣的事物、堅持自己獨特見解、好辯的輕度自閉症兒童都有。但無論其溝通動機與能力如何，在達成社會性目的的溝通效能上，自閉症學生都有著明顯的困難，此困難影響他們的人際互動甚鉅，在融合教育中的輕度自閉症學生身上尤其凸顯。

　　輕度自閉症學生（包括以往所稱高功能自閉症與亞斯伯格症在內）多數具有接近或優於一般同齡同儕的語文智商（吳沛璇、張正芬，2012），從小即有接近一般典型發展兒童的語言能力，包括字彙量、句長、語法等（鄒啟蓉、張顯達，2007；Diehl, Bennetto, & Young, 2006），到學前、國小階段，通常已發展出流暢的語言、豐富的字彙和正確無誤的文法，但在和人對話過程中，卻經常出現理解不佳的現象，如聽不懂倒裝句、玩笑話、善意的謊言、反諷、比喻等非字面意義的語言，導致對溝通背後的意圖解讀或推論有所錯誤（林迺超、張正芬，2011；Norbury, 2005）。

　　在表達方面，亦常出現會話結構四大要素應用上的困難。在「開啟」方面，自閉症學生常未考慮對方之年齡、熟悉程度、時間、場合等因素而出現不恰當的開啟，例如突然在校長和外賓說話時打招呼，問外賓的年齡、身高、體重等，或以不恰當的肢體動作開啟談話等。在「輪流」方面，輕度自閉症學生參與會話時，容易打斷別人或喋喋不休地訴說自己有興趣的話題，無法或很少顧及對方的想法或感覺，而會話對方也很難打斷他的話語；一般兒童話輪轉換間隙時間很少超

過 1 秒（Garvey & Berninger, 1981；引自 Craig & Washington, 1986），而自閉症兒童話輪轉換的間隙時間較一般兒童長，或被選到該回答時不回應對方。在「維持」方面，輕度自閉症學生常堅持自己的看法與意見、刻板又冗長地敘述事情；對於背景訊息的資料提供不足、對於訊息有不合常理的評論、溝通不良時不會要求修復，或忽視會話對方的訊息等狀況，使得會話對方覺得他們很難持續對話，因而影響溝通的進行。在「結束」方面，陳冠杏（2007）的研究將話題結束分為彼此同意結果、靜默或未結束、堅持己見、狀況怪異或是令人不悅、令人不知所措、發生口語衝突、發生行為衝突等七個變項，結果發現國小自閉症學生和同儕會話的結束以「彼此同意結果」的情況居多（55%），但低於同儕的 85%，其次為在「狀況怪異或令人不悅」的情況下結束（27%），高於同儕的 6%，顯示他們在「結束」的表現較為拙劣。

　　不論是研究結果或實務上與輕度自閉症兒童接觸的經驗，都可發現他們在社會互動過程中與人交談時的困難與問題，使得這群具有高度意願與人互動的群體，屢屢在溝通過程中飽嘗挫折和遭受誤解，嚴重影響他們情緒和社會性的發展，甚至延伸至成人階段。在筆者長期接觸輕度自閉症學生的經驗中發現，會話的任一環節出現問題都會影響他們的溝通意願與效能——會話理解如此，會話表達更是如此——尤其是這群能說且願意說的輕度自閉症學生，更不能忽略表達時所出現的狀況。因此，如何及早將教學重點擺在協助他們學習適當的會話基本技巧，減少溝通時突兀、不合社會習慣的溝通行為，以提升溝通

品質，進而增進社會性能力，便成為重要的課題。

　　本課程的設計初衷，即是針對語言能力相對較佳、社會溝通意願高但技巧拙劣、具視覺優勢且偏愛數位學習的輕度自閉症學生，發展一套以會話分析為架構，針對開啟、輪流、維持及結束四個會話結構要素，依據其優勢潛力編製以自然情境為主、有系統性與系列性的數位課程，以供學生、教師、相關專業人員或家長參考使用。幸運地，本計畫獲得科技部的經費支持，得以進行為期兩年的研究，在研究團隊的努力下，歷經三十餘次的會議討論、普通班的難度與適合度測試、十次的自閉症學生實驗教學後，終於完成本套課程的編製。

　　本課程的編製過程極為嚴謹，除召開多次會議討論單元腳本、動畫外，對編製完成之教材，也經過下列程序後完成：（1）先邀請自閉症家長代表提供意見修正後，再邀請專家、學者進行審查，以建立專家效度；（2）在編製完成電腦動畫後邀請數位領域專家提供意見修正，並徵求數所學校（多為研究團隊教師之學校）同意，分單元在不同年級普通班測試電腦動畫草案，以瞭解普通班教師及一般生的反應表現、接受程度及難易度後，再進行電腦動畫之修正；（3）進行第二階段的試用。此階段除由團隊教師於校內試用外，亦商請其他班上有自閉症的老師試用，根據試用結果瞭解自閉症學生的反應，並聽取教師教學的感想；針對以上過程蒐集到的資訊進行增修；（4）進行第二年實驗教學。最後依實驗教學之結果，修正完成所有課程。

　　參與本書撰寫與實驗教學的團隊老師們都是長期深耕於特殊教育領域的學者與教師，對各類身心障礙學生，尤其是自閉症兒童的教學

與輔導更是具有豐富的知識與經驗。由於他們都是分散式資源班教師（部分同時兼有集中式特教班經驗），在融合教育環境中，除了自閉症學生外，也教導各類型的身心障礙學生，如學習障礙、情緒障礙、智能障礙、語言障礙等，在對話過程中發現，有越來越多的各類學生也經常出現各種會話結構上的狀況。因此，在實驗教學過後，團隊老師們經常將本教材應用於日常資源班的教學，發現不僅對自閉症學生有效，如學習障礙、語言障礙等各類有特殊需求的學生，更容易由本套課程而獲益。此外，在普通班實施難度與適合度測試時，不僅一般學生表現出興致勃勃的樣子，普通班老師也反映該內容適合一般學生學習。上述結果給了研究團隊很好的回饋，同時增強了團隊將此課程出版以擴大使用範圍的決心。

　　2019 年正式上路的「十二年國民基本教育課程綱要總綱」明訂特殊需求領域課程為特殊教育及特殊類型班級學生之重要課程，學校須經專業評估後，依據特殊教育學生之個別化教育計畫或個別輔導計畫，在校訂課程中提供。特殊教育學生的特殊需求領域課程包括生活管理、社會技巧、學習策略、職業教育、溝通訓練、點字、定向行動、功能性動作訓練、輔助科技應用、創造力、領導才能、情意發展、獨立研究或專長領域等課程。同年公布的「十二年國民基本教育身心障礙相關之特殊需求領域課程綱要」中，不論是「社會技巧」或「溝通訓練」領域課程，多處將會話架構四要素列為學習重點，如社會技巧中訊息解讀的技巧（特社 B-II-1）、表達與傾聽的時機（特社 B-II-2）；溝通訓練中根據主題起始對話、加入對話或終止對話（特

溝 3-sP-4），依情境進行持續的對話輪替（特溝 3-sA-1）、適切轉換對話焦點（特溝 3-sA-3）、溝通中斷時能進行修補（特溝 3-sA-4）等。目前，特殊需求領域課程的相關教材雖逐步充實中，但較缺乏系統性與序列性。在此情況下，希望本書的完成，不僅能提供給老師實施該二領域課程時的重要參考，也能幫助自閉症學生及其他學生因此課程而實質增進他們的溝通表現。

Part 1

Part 2

Part 3

二、編製說明

以下針對本課程，說明編製過程以及編製理念、架構與原則。

（一）編製過程

本書來自科技部經費補助下進行的二年期研究案。研究一開始，即邀請幾位大臺北地區具碩、博士學位的特教教師與一位具數位教學專長之助理組成研究團隊，第一年以研發教材、編寫腳本、製作動畫、進入普通班實測為主。研究團隊每週定期討論，依架構確立單元數、目標及次目標，並各自試寫單元分析表，經討論修正通過後開始動畫之製作，且持續進行單元腳本、動畫之討論、檢討與修正，並陸續撰寫作業單、教學簡報（PPT）。期間透過自閉症家長代表、數位領域專家意見提供，特教專家學者審查，於普通班測試動畫，將蒐集到的回饋意見以滾動修正的方式進行微幅調整。簡言之，第一年主要編製完成以會話分析為架構，針對開啟、輪流、維持及結束四個會話結構要素且具情境、有系統性與系列性的數位課程共 43 個單元。

第二年針對 14 名介於四年級至九年級的輕度自閉症學生，利用此套課程進行以行動研究為主的教學。在實驗教學前，研究團隊除了密集召開會議討論教學流程外，並製作教學 PPT 與作業單。實驗教學時一組於臺灣師範大學特教系實驗室進行，一組於一般學校的資源班進行。實驗教學共計十次，每週一次，每次 3 小時。在每次實驗教學後均有檢討會，針對動機引起、教學流程、教學方法、學生反應等進

行討論，其間並舉辦家長座談會，透過這些行動研究的歷程，修正教學流程、教具及教學法。實驗教學結果顯示，輕度自閉症學生在開啟、輪流與結束部分能有明顯進步，維持部分則受限於學生之溝通動機、覺察他人談話意願之能力及教學時間較短之故，雖有效果但顯著性不如預期。實驗教學之發現可作為未來推廣之參考。

（二）編製理念、架構與原則

以下簡單說明本書的編製理念、架構及原則。

本課程主要目標是希望協助輕度自閉症學生和其他有特殊需求學生在不同場景、與不同對象互動時，能有接近其能力的會話表現。因此希望能經由判斷線索能力的提升與表現技巧的精熟，而在開啟、輪流、維持、結束四個會話結構上有適當的表現。由於會話是在情境中進行，因此本課程特別重視自然情境的提供，此外也考量課程必須有系統性、教材必須能反覆觀看又具吸引力，教師、家長或其他使用者必須容易上手好操作等因素，因此確立本課程以自然情境為主體，數位動畫為媒材，並提供足夠的單元及作業單、教學 PPT、具指引性的《溝通密技小書》、溝通流程海報及架構圖檔等，供使用者參考。

本課程除了參考研究團隊成員長期累積的經驗以外，主要參考：（1）Skinner（1957）互動式語言中簡單的應對寒暄、接續式互動語言（如接續他人語言），以及連續性互動語言（如長串的語言對談）的發展階層；（2）鳳華（2006）的基本社會互動式語言（如打招呼、基本對談、一般性的對談）及進階式社會互動語言（如生活相關

事件的因果關係、相關字詞的聯想、主題式對談的開展、肢體語言的
學習）；（3）Barraja-Rohan（2011）的會話分析教學概念、Wong 與
Zhang（2010）的教學架構等，設計適合輕度自閉症學生的數位社會
性溝通課程。課程架構如圖 1 所示：第一層為主要的溝通場景，分為
學校、家庭、社區；第二層為主要的溝通對象，在學校以老師和同
儕、在家庭以父母和手足、在社區以親友鄰居或設施服務人員（簡稱
親友）為主；第三層為溝通時表現的能力水準（即教材難度），設定
低、高二個水準；第四層為溝通時的能力向度，即會話結構的四個要
素——開啟、輪流（含打斷）、維持及結束。

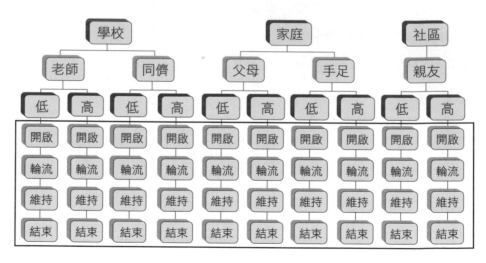

圖 1 ｜ 社會性溝通課程架構圖

本課程之編製原則如下：

1. **採螺旋形課程的編輯方式**：基礎能力、教過能力重複出現在
   教材中，並重複被評量。

2. **採情境式設計**：情境係透過文獻閱讀、蒐集教導自閉症學生資源班老師、家長及研究者辦理長達十二屆輕症自閉症學生週末營隊（每屆一學期，上課約 13 週，每週 3 小時）所蒐集到的不當開啟、輪流、維持、結束或容易引發誤解、錯誤解讀或衝突等情境事件。情境事件著重來龍去脈。每一單元在層次四會包含數個會話要素，不一定均呈現完整的四個會話要素。老師在教學時，可依學生能力做適度的選取。

3. **符合自閉症學生優勢學習特質**：視覺為多數自閉症學生的學習優勢管道，電腦教學也是他們所喜歡的學習風格。因此本課程以數位動畫方式呈現以引起他們的學習動機。此外，本課程也採結構化教學的精神，將教學內容的工作分析步驟化、規則簡潔結構化、線索視覺化、內容實用生活化，以符合他們的學習特質。

4. **差異化課程設計**：採能力本位，分低、高兩種難度發展課程。老師在教導時可依學生實際能力跨水準選用，而不受原定水準之限制。另外，情境的複雜度、熟悉度，線索的多元與隱微程度，規則的多寡，技巧的難易等，都會是影響課程教材難度的關鍵所在。以開啟為例，難度低組目標可能是：能注意時機、判斷基本線索，用基本技巧表現即可；難度高組目標則可能是：能適當混用口語和肢體動作，並且要注意開啟的禮貌。

5. **多元結果**：數位教材會在題幹播放後先讓學生有機會陳述自

己的想法，使教學者有機會瞭解學生的解讀方式及觀點。數位教材呈現多元而非單一的答案，較符合情境中不同人物可能有的不同反應（如表 3 所示）。

6. **明確的規則性**：課程設計有明確的規則，讓學生較容易找到線索或重要關鍵做出決定。以輪流說話為例，會先教輪流的三個重要規則：規則一：如果已經有人在說話，人家選到你，你才能說話；規則二：如果說話的人沒有選下一個說話人，你可以說話，也可以不說話；規則三：如果自己沒有選人說話，但是沒有人回答，你可以繼續說話，也可以不說話。

7. **提供正反例示範**：透過動畫或影片呈現正、反面的社會語言溝通表現，一方面透過示範讓輕症自閉症學生學習典型的溝通模式與表現，另一方面藉由反面教材讓輕症自閉症學生瞭解不當溝通行為或反應所可能引發的結果，讓他們從中習得修正的機會。

8. **變化性（由單純到多餘刺激或不相干刺激）**：依課程層次的提高逐漸增加多餘刺激或不相干刺激，以真實呈現多人或複雜的會話情境。

9. **趣味性、新奇性**：每一單元都盡可能加入一些趣味性或新奇性，以維持學習動機。

三、課程內容

　　本課程共包括43個動畫單元，內容如表1所示。四個向度的單元數分別如下：開啟有 8 個單元，輪流有 13 個單元，維持有 13 個單元，結束有 9 個單元。其中難度低組共 22 個單元，高組共 21 個單元。難度高低組的區分，主要取決於情境的複雜度與所需判斷之線索的多樣性而定。

表 1 ｜ 單元分析表

向度	低組	高組	小計
開啟	4	4	8
輪流	8	5	13
維持	6	7	13
結束	4	5	9
小計	22	21	43

　　若依據圖 1 的架構圖，以場景（即學校、家庭、社區）為主加以分類時（如表 2 所示），學校場景：低組有 17 個單元，高組有 12 個單元；家庭場景：低組有 4 個單元，高組有 4 個單元；社區場景：低組有 1 個單元，高組有 5 個單元。不論是低組或高組，皆以學校場景為最多，共計 29 個單元，其次為家庭場景，共計 8 個單元，社區場景最少，共計 6 個單元。

表 2 │ 各場景難度高、低組單元分布

向度	學校		家庭		社區		小計
	低組	高組	低組	高組	低組	高組	
開啟	3	2	1	0	0	2	8
輪流	6	4	1	1	1	0	13
維持	5	4	1	2	0	1	13
結束	3	2	1	1	0	2	9
小計	17	12	4	4	1	5	43

　　每一動畫單元均採取故事內容（題幹）與關鍵行為（選項）分離的方式，讓學生在學習時能看到自己及他人可能有的多元行為表現。題幹就是主要的故事內容，選項就是在會話情境中可能會出現的不同行為表現，包括適當的、不適當的或灰色地帶的回應方式。例如：

故事內容（題幹）：上課時，老師點名叫同學回答問題，浩浩已經想
　　　　　　　　　　到答案

關鍵行為（選項）：浩浩可能做出的行為反應，
　　1. 耐心等待他人回答
　　2. 沒有等同學回答，直接大聲搶答
　　3. 等同學回答完，不等老師回應，就嘲笑同學

　　以下將開啟、輪流、維持及結束各向度的難度、單元名稱、故事內容（題幹）及關鍵行為（選項），整理如表 3～表 6 所示。

表 3 ｜ 開啟向度難度、單元名稱、故事內容及關鍵行為對照表

向度	難度	單元名稱	故事內容（題幹）	關鍵行為（選項）
開啟	低	找同學	浩浩到操場玩，看到同學小東抱著一疊作業，很匆忙地快步經過他身邊。	1. 一直一直叫同學
				2. 沒有去找同學
				3. 拼命追同學
	低	六福村	學校下課時間，浩浩和林老師分別從走廊的兩端走來，兩人接近時……	1. 說很多六福村的事
				2. 直接走過去
				3. 向老師打招呼
	低	打籃球	阿宏和小東兩個同學正要去打籃球。浩浩看到他們，跑步過去加入。	1. 拿同學的球來打
				2. 對同學說：大胖子、瘦皮猴……
				3. 詢問同學
	低	生病不舒服	浩浩在客廳沙發看電視時，肚子痛了起來，雙手抱肚子，很不舒服的樣子。	1. 跟媽媽說肚子很痛
				2. 一直忍耐中
				3. 大聲叫說：肚子快痛死了

表 3 │ 開啟向度難度、單元名稱、故事內容及關鍵行為對照表（續）

向度	難度	單元名稱	故事內容（題幹）	關鍵行為（選項）
開啟	高	遇見阿姨	鄰居阿姨正騎著腳踏車從浩浩身邊經過，但沒看到浩浩。	1. 邊跑邊喊，跟阿姨說話
				2. 跟阿姨揮揮手，說：ㄟㄟㄟ
				3. 看著阿姨騎走，再轉頭回去
	高	自然科學	浩浩到操場玩，看到同學阿宏從操場另一端向他走過來。	1. 說自己感興趣的話
				2. 叫同學：冬瓜先生
				3. 先向同學打招呼
	高	我寫完功課了	媽媽和鄰居阿姨正在家門口聊天，爸爸在旁聆聽。浩浩出現，想要說話。	1. 對爸爸說話
				2. 先做些動作再回答爸爸的話
				3. 對媽媽說話
	高	同學受傷了	浩浩在球場邊觀看同學打籃球，忽然小束與阿宏搶球時，兩人相撞，阿宏摔倒在地，頭部、手、腳擦傷流血。	1. 大聲喊了好幾次
				2. 跟老師說發生的事情
				3. 一直等待，過了很久才說

表4 ｜ 輪流向度難度、單元名稱、故事內容及關鍵行為對照表

向度	難度	單元名稱	故事內容（題幹）	關鍵行為（選項）
輪流	低	白日夢	上課中，在教室，老師點名叫大家回答問題。	1. 眼睛看老師，用聽得到的音量，回答問題內容相關
				2. 因為不會，所以不回答，繼續做自己的白日夢
				3. 有回答，但是回答的內容與老師的問題沒有關係
	低	數學問題	上課時，老師點名叫同學回答問題，浩浩已經想到答案。	1. 耐心等待他人回答
				2. 沒有等同學回答，直接大聲搶答
				3. 等同學回答完，不等老師回應，就嘲笑同學
	低	有獎徵答	上課中，老師問了一個問題，浩浩搶答，老師卻請其他舉手的同學回答問題。	1. 安靜地等同學回答完
				2. 大吼大叫，說：是我先回答的，不公平不公平
				3. 不管同學在說話，就大聲地搶答回答問題
	低	老師要結婚了	媽媽跟鄰居阿姨聊天，浩浩想起老師要結婚了……	1. 用手輕摸媽媽的手問：可不可以等一下跟媽媽說老師的事
				2. 質疑媽媽不肯聽他說話
				3. 生悶氣

表 4 │ 輪流向度難度、單元名稱、故事內容及關鍵行為對照表（續）

向度	難度	單元名稱	故事內容（題幹）	關鍵行為（選項）
輪流	低	園遊會討論	班會課討論園遊會要販賣的東西。	1. 沒有禮貌地打斷了同學的話
				2. 有禮貌地打斷同學的話進行提議
				3. 不耐煩且笑同學
	低	老師的暗示	下課時，老師詢問是否可以幫忙送文件，並且會送幫忙的人一罐飲料。	1. 老師，我可以幫妳送
				2. 老師，妳的飲料是哪種牌子啊，我告訴你，我最喜歡的飲料是那個有加抹茶系列的飲料，那你喜歡哪一種？
				3. 安靜沒有回答
	低	還有多久上課	下課時同學聊天聊得很開心，浩浩突然想知道還有多久上課。	1. 有禮貌地指定同學詢問
				2. 希望有人回應，卻沒有指定別人說話
				3. 沒有禮貌地碰觸別人，要人回答
	低	我不想看新聞	爸爸跟哥哥正在客廳看新聞，浩浩感到無聊。	1. 安靜地繼續做自己的事
				2. 大聲說：好無聊啦，不要看了啦
				3. 問爸爸：可不可以改看卡通

表 4 ｜ 輪流向度難度、單元名稱、故事內容及關鍵行為對照表（續）

向度	難度	單元名稱	故事內容（題幹）	關鍵行為（選項）
輪流	高	破關密技	上課時，隔壁桌的同學想要跟浩浩討論過關密技。	1. 站起來打斷老師，並向老師告狀
				2. 眼睛看同學，但是輕輕地搖頭，指著前方，意思是老師上課不能說話
				3. 很大聲地回應同學的詢問
	高	同學哭了	下課時三人談話，安安哭著說她心愛的小貓過世了……	1. 安靜在旁陪伴
				2. 用反方向的話安慰對方，如：貓死了再買一隻就好了
				3. 嘲笑對方：女生就是愛哭，貓死了有什麼好哭的
	高	一百分	爸爸宣布考一百分可以得到 100 元，哥哥很高興，但浩浩卻很焦慮。	1. 跟爸爸說：爸爸：學校老師跟我們說，成績不重要，過程才重要，你這樣我的壓力好大
				2. 大喊大叫說：我不要我不要，我一定得不到
				3. 安靜地在旁邊默默流淚

表 4 ｜ 輪流向度難度、單元名稱、故事內容及關鍵行為對照表（續）

向度	難度	單元名稱	故事內容（題幹）	關鍵行為（選項）
輪流	高	冷笑話	國文課中，張老師問：夕陽西下，斷腸人在哪裡？浩浩回答「在醫院……哈哈哈」，這時浩浩發現老師跟同學都很安靜。	1. 說：不好意思，說了個冷笑話，老師請繼續上課
				2. 繼續說：那個醫院裡有很多人都在動小腸手術，我上次看到書說，人體的小腸很長
				3. 跟老師說：老師我回答問題了，請幫我進一格
	高	童軍課	童軍課，大家在練習打繩結，浩浩不會打，大叫了一聲「這怎麼用？」卻沒有人回應。	1. 輕拍一下阿宏問：你有空嗎？可不可以教我？
				2. 一直大叫：怎麼都沒有人要教我……
				3. 直接叫阿宏先教我

表 5 ｜ 維持向度難度、單元名稱、故事內容及關鍵行為對照表

向度	難度	單元名稱	故事內容（題幹）	關鍵行為（選項）
維持	低	約會	阿宏跟浩浩說小東和小美去約會，但浩浩不相信。	1. 阿宏說：不相信就算了
				2. 阿宏重申是真的
				3. 阿宏抱怨說：浩浩為什麼不相信他
	低	運動會	運動會快到了，浩浩不會三步上籃，小東教導他並和浩浩討論。	1. 浩浩突然說起氣象新聞
				2. 浩浩詢問運動會時間
				3. 浩浩對小東發脾氣說：我就是不要
	低	考試分數	浩浩對自己數學小考的考試分數不滿意，小東靠近瞭解情形。	1. 小東說：自己有進步，媽媽要帶他去買玩具
				2. 小東說：這次題目不會很難
				3. 小東鼓勵浩浩請老師和媽媽溝通
	低	寢室安排	小東、浩浩及安安在討論畢業旅行的住宿問題。	1. 浩浩向兩人詢問：畢業旅行的住宿安排是怎麼回事
				2. 浩浩覺得應該照老師所說兩星期後再討論就好
				3. 浩浩生氣怪說：都沒人找他當室友

表 5 ｜ 維持向度難度、單元名稱、故事內容及關鍵行為對照表（續）

向度	難度	單元名稱	故事內容（題幹）	關鍵行為（選項）
維持	低	昆蟲圖鑑	浩浩下課在看昆蟲圖鑑，小東經過浩浩旁邊時，隨口問了一下。	1. 浩浩一口氣說了很多昆蟲名稱
				2. 浩浩請小東等一下
				3. 浩浩批評小東打籃球的行為
	低	魔術方塊	哥哥解不開魔術方塊，浩浩幫忙解開。哥哥詢問浩浩怎麼辦到的。	1. 浩浩介紹一個魔術方塊網站給哥哥
				2. 浩浩興高采烈地一直講如何破解的技巧
				3. 浩浩嘲笑哥哥
	高	公車	浩浩興奮地找同學聊最新的公車款式。	1. 不管別人繼續講
				2. 轉而和同學聊歌唱節目
				3. 生氣別人不談公車的事
	高	誰是代表隊	小珍對找誰當班上桌球代表隊比賽感到困擾，找人討論。	1. 認同小珍再好好想想
				2. 一直認為小東就是可以
				3. 一定要小珍選小東
	高	超商	浩浩在超商巧遇小東，好奇小東在超商做什麼。	1. 一直問小東怎麼不去其他地方吹冷氣
				2. 強烈建議小東去其他地方吹冷氣
				3. 問小東在看什麼

表 5 │ 維持向度難度、單元名稱、故事內容及關鍵行為對照表（續）

向度	難度	單元名稱	故事內容（題幹）	關鍵行為（選項）
維持	高	選擇晚餐	媽媽打電話請浩浩和哥哥決定吃什麼晚餐，兩人於是開始討論。	1. 非吃到自己想吃的牛肉麵不可
				2. 問哥哥想吃什麼
				3. 發脾氣不討論了
	高	爸爸請稱讚我	浩浩想跟爸爸分享自己得到獎狀。	1. 一直停留在說自己得獎
				2. 請爸爸多稱讚他
				3. 問爸爸有沒有得過獎狀
	高	點數換獎品	浩浩想去跟老師用點數換獎品，但獎品剛好沒了。	1. 請老師增加文具類獎品
				2. 抱怨自己很衰換不到獎品
				3. 一直想要怎麼辦，不肯離去
	高	數學不太好	浩浩去找老師交回條時，被老師問到數學考試的問題，浩浩需要回應。	1. 浩浩直接走掉
				2. 浩浩說：老師說他不好
				3. 浩浩說：自己國文考得不錯

表 6 │ 結束向度難度、單元名稱、故事內容及關鍵行為對照表

向度	難度	單元名稱	故事內容（題幹）	關鍵行為（選項）
結束	低	打電動玩具	哥哥正在玩平板電腦中的遊戲，浩浩想要哥哥教他怎麼打。	1. 浩浩一直盧哥哥現在教他打
				2. 浩浩先讓哥哥自己玩，但說等一下一定要教我
				3. 罵哥哥踍什麼踍
	低	老師急著要去開會	老師正在位子上收拾東西，準備要離開座位，浩浩跑到老師位置旁跟老師說話。	1. 浩浩興高采烈地一直說話
				2. 跟老師說不好意思，先回教室
				3. 想要跟著老師一起走
	低	急著去上廁所	下課時，浩浩在走廊上急著要去上廁所，小東走過來遇到浩浩，跟他說要交作業。	1. 浩浩不禮貌地說：我不交作業要你管
				2. 浩浩說：我急著上廁所，等一下交
				3. 浩浩直接跑掉
	低	上課偏離主題	上課時間，老師與班上同學進行課堂討論，內容是如何減少二氧化碳的排放，並請同學回答。	1. 浩浩繼續跟老師說與主題不相關的內容
				2. 浩浩沒有禮貌地繼續舉手說：老師都不叫我
				3. 浩浩沉默不再說話

表 6 ｜ 結束向度難度、單元名稱、故事內容及關鍵行為對照表（續）

向度	難度	單元名稱	故事內容（題幹）	關鍵行為（選項）
結束	高	鄰居阿姨下班	浩浩和鄰居阿姨在走廊中相遇，阿姨拿鑰匙要開門，浩浩想要跟阿姨聊天。	1. 浩浩很有禮貌地跟阿姨說：阿姨，我看到妳的東西好重，我幫妳拿，讓妳開門好不好
				2. 一直很興奮地說話
				3. 沒有禮貌地問：阿姨為什麼不說話
	高	週末鄰居家	浩浩、媽媽跟鄰居阿姨在聊天，媽媽覺察到阿姨需要煮飯後示意浩浩需要離開。	1. 浩浩問媽媽說：是不是要回家了
				2. 浩浩坐在位置上，迷惘地看著媽媽跟阿姨
				3. 浩浩跟媽媽說：還想要再看電視
	高	打電話問回家作業	浩浩打電話問小美功課（在動畫中只有出現小美的表情），浩浩問完功課後又想要聊籃球。	1. 說：小美是啞巴
				2. 突然說再見
				3. 很有禮貌地說：謝謝妳，明天見
	高	不想借同學手錶	浩浩、阿宏在操場上走路，準備放學離開學校去安親班，阿宏很想要借浩浩的新手錶來看。	1. 浩浩安靜不說話，繼續向前走
				2. 浩浩有點激動地說：再不走要被司機罵了
				3. 浩浩生氣地推倒阿宏並罵阿宏

表 6 ｜ 結束向度難度、單元名稱、故事內容及關鍵行為對照表（續）

向度	難度	單元名稱	故事內容（題幹）	關鍵行為（選項）
結束	高	媽媽下班好累	媽媽下了班，累累地坐在沙發上休息，浩浩過來要跟媽媽聊學校發生的事情。	1. 浩浩同理媽媽說：媽媽我看妳很累的樣子，我不吵你了
				2. 浩浩沒有覺察，一直跟媽媽說話
				3. 浩浩怪媽媽說：媽媽都沒有專心聽自己說話

　　本課程共有 43 個單元，為了讓動畫單元在教學後能有更多的討論、歸納、演練，以強化學習效果，研究團隊配合動畫單元製作相對應的教學 PPT，讓老師能更順暢、深入地執行教學。

　　此外，為使讀者能夠快速上手使用本書及相關數位教材，除有教學光碟使用說明（參見本書 Part 2）外，研究團隊並針對每個向度編寫《溝通密技小書》──即讀者使用手冊，內容依四個向度分別呈現使用方法、情境及策略的動畫對話畫面，以及各向度的課程單元介紹（包括：各單元的名稱、教材難度、角色、情境及單元中主要使用的規則、說話策略等）。《溝通密技小書》並附有作業單，方便老師及時檢核學生的學習成效。另外，本數位教材也附有四個向度的溝通流程海報（紙本）、一個完整的社會性溝通架構圖的電子圖檔，以及一個完整的輪流說話向度打斷流程圖的電子圖檔供教學者教學使用，以協助學生更完整地瞭解說話流程的架構。

　　期望透過本課程及教材的出版，能獲得教育現場教師的迴響，讓更多教師、研究者、廠商願意投入數位教材的研發工作。

Part 1

Part 2

Part 3

四、教學流程

　　本研究團隊經過十次實驗教學，多次教學前後的討論後，歸納出幾個教學建議供使用者參考。為避免課程內容流於僅是社會性溝通「知識」的傳遞，且加強學生的類化表現，故建議教學老師或家長等使用者應多強調課程內容中角色扮演和生活經驗討論的部分，讓孩子可以不僅止於知識討論，也能透過角色扮演的練習，內化和深化社會溝通的技巧。

1. 一開始宜有 10 分鐘左右的暖身問候、自由聊天等，此時段主要在瞭解學生近日發生的事情，透過舊經驗的喚起，加深相關印象並藉此蒐集與學生聊天時的語料。

2. 老師可依學生能力或近日發生的事件，選擇難度適宜的單元。開始時先播放動畫題幹部分一次。

3. 鼓勵學生說出或寫出看法，老師不做任何評判。此階段盡可能鼓勵學生表達，老師可藉此機會瞭解學生的想法及可能的反應。

4. 發下作業單並播放行為選項，請學生勾選選項後讓學生說說看自己選擇行為的理由。學生所講述的理由不論合適與否均予以尊重，不要立即指導、糾正或批評。

5. 若學生選擇之行為不正確時，重新播放，並依學生錯誤解讀或反應之處做停格、倒帶處理。老師可提供線索與提示規

則，提醒前後脈絡或他人可能的反應，鼓勵學生重新作答。

6. 可同時呈現教學 PPT，依序帶領學習、討論，並將事先擬好之題目，依學生之回答做出回應。

7. 視需要提供符合該單元之情境籤，並利用溝通流程海報提醒與鼓勵學生做角色扮演，以熟練技巧及進行討論。

8. 老師對數位教材及學生之表現做出總結。

9. 寫作業單、自評表。

10. 為讓學生的學習能夠類化到其他情境中，宜將教學內容、目標行為告知普通班老師及家長，並鼓勵老師及家長能在班級及家中給予學生／孩子應用課堂所學的機會，以協助學生實地應用。

　　以下由鄭津妃老師、李秀真老師、林迺超老師、顏瑞隆老師透過上述教學流程，分別針對開啟說話、輪流說話、維持說話及結束說話進行教學範例的說明。

（一）開啟說話教學範例

　　學者 Schegloff 與 Sacks 在 1973 年做了一個電話通話的研究，發現一項說話的規則：在電話通話開始時，先說話的總是接電話的這一方，另外也發現在開啟說話時，對話不會直接結束，相反地，這樣的對話反倒是一輪說話的開啟，具有開場白的作用。

　　但是，如果是自己想要找人說話則需要先主動地開啟，就像「同學受傷了」單元中浩浩向林老師說話。只是，是否可以向對方開啟說話，判斷的情境有三種，如下列所述：

1. 需先判斷對方是否有空說話。**當對方沒有空時**，像是出現：很匆忙地走路、忙著做事情、正在跟別人說話時，**就不適合找他說話。**

2. **對方有空時，就可以向他開啟說話。**

3. **遇到緊急的事**，像是出現：身體非常不舒服、急著要上廁所、重要東西遺失時，**儘管對方正在忙、沒有空，也要盡快地告訴他。**

　　另外，想要開啟說話的時候也有下列四種策略：

1. 身體動作：維持剛剛好的距離，眼睛看對方。

2. 語氣：就算遇到著急的事，也不要慌張、慢慢說話。

3. 音量：用對方聽得到的音量說話，但是不要大呼小叫。

4. 內容：先打招呼，再說想說的話。

　　以上這些都是自己想要開啟說話時可判斷的情境和可應用的策略，大家都可以在日常生活中實際體會看看。

　　本向度的教學單元分為高及低兩種難度，提供不同程度、不同需求的學生使用。另外並附有「開啟說話」讀者使用說明（參見《溝通密技小書》），給予清楚的圖片說明，作為教師講解或是學生自學時使用。為詳細說明在開啟向度教學時所引導的過程與反映學生的可能回應，本向度選取難度高的「同學受傷了」單元，作為完整教學實例說明。

　　進行教學時，建議教學者先熟悉動畫（Flash）的播放方式，瞭解動畫與教學 PPT、《溝通密技小書》（讀者使用說明及作業單）及溝通流程海報的脈絡連結後，始可進行教學活動。若單就教學流程來看，建議教學者依據相同的難度、對方有空沒空及緊急度的選擇，以及開啟說話的四種策略做為教學的選擇，以增加學生對於開啟說話能力全貌的理解。範例中學生所反應的內容，係來自於實際教學過程中學生所出現的反應，羅列於此供未來教學者參考。

Part 1

Part 2

Part 3

設計者：鄭津妃老師

單元名稱：「同學受傷了」　　　　　　　　　　　　　難度：高

開啟說話類型：遇到緊急的事，儘管對方正在忙、沒有空，也要盡快地告
　　　　　　　訴他

教學流程	活動內容	學生可能反應
Step1 暖身活動 播放 PPT 第 1 頁 〈人物介紹〉	教師：「好，現在我們要看一個動畫，和傳話有關。動畫中的人物有阿宏、小東、浩浩和林老師。這個動畫非常非常短，一下子就演完了，請你們仔細看喔！看完了有問題要請你們填寫。」	要求學生集中注意力，準備播放動畫。
Step2 播放動畫	題幹內容：浩浩在球場邊看見阿宏摔倒在地、受傷流血，同學要浩浩去向老師報告。浩浩走進老師辦公室，看見林老師正坐著在批改作業。 行為選項：三個選項	
Step3 發下小書 1. 播放PPT 　Item1, Item2 2. 讓學生完成作業單 3. 討論學生舊經驗	1. 教師：「看完了動畫，接下來請各位同學在作業單上勾選答案。」 2. 讓學生用筆在作業單上填答。 3. 教師佈題喚醒舊經驗：「有沒有過當小幫手，幫忙傳話的經驗？」 4. 針對有經驗者追問：「你在那個時候是怎麼做的？」	1. 確認學生是否瞭解動畫內容，若有學生勾選×，則讓學生重看一次。 2. 督促學生完成作業單。

（下頁續）

教學流程	活動內容	學生可能反應
Step4 播放 PPT 〈題幹討論〉 Item3	之後一邊逐題討論，一邊檢視學生作業單的答案： 1. 若學生都答對，在討論原因時，除非學生的理由與所欲教學目標不符，便細部討論，否則可較快速進行。 2. 根據該題，若有學生答錯，讓學生說說看自己選擇行為的原因。若有比較特別的錯誤時，如誤解開啟話題的線索，則老師可與所有的學生討論，或留待後續題目討論時加強釐清。	1. 部分學生回答的答案可能和預定的標準答案不一致，若能說出合理的理由，也可以給予肯定的答覆，如：擔心老師沒有注意聽，所以大聲地說話（選擇行為一）。但仍需進一步指導學生最合宜的表達方式。 2. 對於回答正確者，可適時給予口語鼓勵，增強其回答的動機。
Step5 播放 PPT 〈題幹討論〉 Item4	1. 根據浩浩當下情緒，和判斷情緒的重要副語言線索（包括聲調、說話速度），詢問學生的判斷依據為何。其次公布答案時，可搭配動畫說明。 2. 後來浩浩去找老師，老師當時的情形如何？此時可討論他人是否忙碌的線索。若學生回答錯誤，可搭配動畫說明。	1. 學生在這一題可能會因為無法掌握情緒判斷的線索，而有各種分歧的答案（如難過與緊張分不清）。 2. 此題屬單純記憶問題，學生幾乎能回答正確。

（下頁續）

教學流程	活動內容	學生可能反應
Step6 播放 PPT 〈行為討論〉 Item5 Item6 Item7	1. 和學生進行討論：對於行為一，浩浩距離老師太遠，用大喊的音量是否合適？教師可以在答案公布後進行釐清：不合適是基於應該考量對方（老師）的不舒服感受。 2. 對於行為二（能在他人沒空時說出緊急的話），共同歸納出身體動作、音量、語氣、內容的表現技巧。 3. 對於行為三，浩浩一直在門口等老師忙完才向她說，此舉是否合適？教師可以在答案公布後進行釐清：不合適是基於緊急事件不能等待他人，應優先告知對方。	若學生的理解力較弱，教師可當場示範演出「行為一」至「行為三」中浩浩的行為，由學生擔任林老師的角色。此舉較容易在浩浩的行為表現下自然呈現出因應者的喜怒和後續反應，學生也較容易理解和學習。
Step7 播放 PPT 〈統整討論〉	使用開放問題詢問：「浩浩應該怎麼去告訴正在工作的老師？」	學生的答案通常無法周全所有應考量的要素，應給予前述的提示。
Step8 播放 PPT 教學篇	1. 教師先說明本次教學的重點，灌輸框框內的口訣，此為單元重點（PPT 第 11 頁）。 2. 搭配流程圖，增進學生理解「在他人沒空時說出緊急的話」（PPT 第 12 頁）。 3. 判斷緊急與不急的情境或事件（PPT 第 13 頁）。	學生在PPT第13頁容易出現只是聆聽「知識」的情況，可引導學生說出更多切身相關的緊急與不急的事件，藉以舉一反三及類化至生活情境中。

（下頁續）

教學流程	活動內容	學生可能反應
	4. 重述身體動作、音量、語氣、內容的表現技巧（PPT 第 14 頁）。透過「教師示範、學生練習仿做、同儕與教師回饋的重複歷程」，熟習表現技巧。 5. 練習描述事情的重點內容：人、時、地、事（PPT 第 15 頁）。教師可提供具體的關鍵字詞，由學生練習描述事情的完整性。	
Step9 播放 PPT 演練篇	給予類似的題型（PPT 第 16 頁），提供學生演練如何在他人忙碌時說出緊急的話。教師先協助決定具體的角色與設定情境，再引導演練活動。必要時運用溝通流程海報做演練。	針對能力較弱的學生，可能需要額外設計對白和動作提示，讓學生可以循序練習。

（二）輪流說話教學範例

　　輪流是會話最重要的一個元素，最基本要瞭解的就是我們怎麼知道在與人說話中什麼時候要開始說話、什麼時候要準備結束。在一般會話中，說話的人並不會直接說「輪到我說話了」或是「我說完了，換你說」。如果在一個情境中，有超過兩個人以上在說話，這個說話的情境便有一個特點，就是在整個過程中，每個人都會依循輪流的規則來說話。本輪流單元教學內容的重點便在「說話時，需要輪流」，而輪流說話有基本的三大規則，這也是日常生活中所有人在說話中會依循的，如下列所述：

1. **人家選到你，你才能說話。**

2. **如果說話的人沒有選下一個說話人，你可以說話，也可以不說話。**

3. **如果自己沒有選人說話，但是沒有人回答，你可以繼續說話，也可以不說話。**

　　另外，要怎樣判斷選人的線索呢？輪流說話的時候，當說話的那一方（1）用眼睛看著你，（2）叫你的名字或綽號，（3）用身體的動作（如用手或身體其他部位）指向你，這些都是選到你說話的判斷線索。但是如果說話的人都是看著別人或是叫別人的名字或綽號，這就是選別人說話的線索了。

　　本向度的教學單元分為高及低兩種難度，提供不同程度、不同需

求的學生使用。另外並附有「輪流說話」讀者使用說明（參見《溝通密技小書》），給予清楚的圖片說明，作為教師講解或是學生自學時使用。為詳細說明在輪流向度教學時所引導的過程與反映學生的可能回應，本向度選取難度高的「同學哭了」單元，作為完整教學實例說明。

　　進行教學時，建議教學者先熟悉動畫（Flash）的播放方式，瞭解動畫與教學 PPT、《溝通密技小書》（讀者使用說明及作業單）及溝通流程海報的脈絡連結後，始可進行教學活動。若單就教學流程來看，建議教學者依據相同的難度及輪流規則一、二、三的順序做教學，以增加學生對於輪流說話能力全貌的理解。範例中學生所反應的內容，係來自於實際教學過程中學生所出現的反應，羅列於此供未來教學者參考。

Part 1

Part 2

Part 3

設計者：李秀真老師

單元名稱：「同學哭了」　　　　　　　　　　　　　　　　難度：高

輪流說話類型：如果說話的人沒有選下一個說話人，你可以說話，也可以
　　　　　　　　不說話

教學流程	活動內容	學生可能反應
Step1 暖身活動 播放 PPT 第 1 頁〈人物介紹〉	教師：「接下來，老師要播一個動畫，請看一下這次動畫中的人物介紹，有安安、小美及浩浩，請你們專心看動畫，看完了有問題要請你們填寫喔。」	要求學生集中注意力，準備播放動畫
Step2 播放動畫	題幹內容：安安正在哭泣，並說貓死了，醫生沒有辦法再多做什麼了。 行為選項：三個選項	
Step3 發下小書 1. 播放 PPT Item1-Item3 2. 讓學生完成作業單 3. 討論學生舊經驗	1. 教師：「接下來，請各位同學在作業單上勾選答案。」 2. 讓學生用筆在作業單上填答。 3. 教師佈題喚醒舊經驗：「你有看過同學哭泣的經驗嗎？」 4. 針對有經驗者追問：「那你們在那個時候都做了什麼？」	1. 確認學生是否瞭解動畫內容，若有學生勾選✕，則讓學生重看一次。 2. 督促學生完成作業單（能力好的學生可以自行獨立完成後再討論，能力不好的學生可以接著進行 Step4 逐題討論）。

（下頁續）

教學流程	活動內容	學生可能反應
		3. 可能會表示「忘記了」、「不知道」、「沒有」或發表相關經驗。 4. 有些學生對於三個選項會有不同的看法（如「這樣真是機車」、「唉呦，跑走就好了」等），可以透過三個選項的刪除法討論或是讓學生們自由討論各種方法的優缺點。 5. 讓學生自由談論相關經驗，若沒有明顯相關，則可適時中斷。
Step4 播放 PPT 〈題幹討論〉 Item4-Item7	邊逐題討論，邊檢視學生在作業單的答案： 1. 若學生都答對，在討論原因時除非學生的理由與所欲教學目標不符，便細部討論，不然，則可較快速進行。 2. 若有學生答錯，不需直接點出錯誤，但可以詢問學生的填答理由，並與所有的學生討論。	部分學生的答案與預定的標準答案不符合，教師可以提前簡單給予（停想選做）思考線索，引導學生去思考，若是能說出合理的理由，教師可以給予肯定的答覆。

（下頁續）

教學流程	活動內容	學生可能反應
Step5 播放 PPT 〈統整討論〉 Item8	由老師用口語提示學生剛剛動畫中的行為，並藉由前面題目的提示，協助學生做概念上的統整。	能力好的學生根據前面題目的提示應有能力可以回答，但是能力不好的學生可能無法回答。
Step6 播放 PPT 教學篇	1. 先說明本次教學的規則重點──規則二，並給予規則二的定義（PPT 第 14 頁）。 2. 透過停想選做四步驟及結合本單元中角色的動作與線索，教導判斷和輪流技巧（PPT 第 15 頁）。 3. 在教學結束後，再給學生重新選擇的機會（PPT 第 16 頁）。	有些學生會無法把四個步驟與動畫做結合。如果學生忘記了動畫內容，可以再播放一次讓學生回憶並瞭解細微線索的差異。
Step7 播放 PPT 演練篇	給予類似的題型（PPT 第 17頁），並運用溝通流程海報做演練。	1. 有些學生會因害羞或日常生活觀察經驗過少而不知道要說什麼，教師要多給予一些實例上的支持（如給予對白、動作提示或是直接由老師設計口語劇本演練）。 2. 如果學生程度比較不好，在演練時可以邊展示流程圖提醒學生，邊演練。
Step8 播放 PPT	播放結語及增強頁，並口語增強學生（PPT 第 19 頁）。	

（三）維持說話教學範例

在日常生活中，如何順暢地維持整個會話的脈絡，包括知道如何開啟說話、輪流說話及流暢地維持說話。這些技巧對於已經嫻熟說話技巧的成年人來說也是不簡單的，畢竟，與人會話的時候，我們不可能永遠都只是用單一的開啟方式，如「我們來說話吧」，或是用「我們來換個話題說吧」這樣的方式來維持兩個人的對話。

生活中，想要知道我們和別人是否可以順利地維持說話，判斷的標準在於雙方維持說話的意圖及是否維持在同一個主題上。維持說話的情境大致可分為下列三種：

1. 雙方都想繼續說話。

2. 對方不想說話，自己想繼續說話。

3. 對方想繼續說話，但自己不想說話。

在人們面對這三種情境下時，常見維持雙方說話的方法有七種常見的策略，包括：

1. 回答對方問題。

2. 評論或討論。

3. 追問相關訊息。

4. 重複對方的話。

5. 開啟對方感興趣的話題。

6. 使用轉折語。

7. 補充新資料。

　　我們希望教導孩子辨識處於何種說話情境中，並選擇及因應情境挑選合宜的維持說話策略。

　　本向度的教學單元分為高及低兩種難度，提供不同程度、不同需求的學生使用。另外並附有「維持說話」讀者使用說明（參見《溝通密技小書》），給予清楚的圖片說明，作為教師講解或是學生自學時使用。為詳細說明在維持向度教學時所引導的過程與反映學生的可能回應，本向度選取難度低的「運動會」單元，作為完整教學實例說明。

　　進行教學時，建議教學者先熟悉動畫（Flash）的播放方式，瞭解動畫與教學 PPT、《溝通密技小書》（讀者使用說明及作業單）及溝通流程海報的脈絡連結後，始可進行教學活動。若單就教學流程來看，建議教學者依據相同的難度、對三種情境以及維持說話的七種策略做教學的選擇，以增加學生對於維持說話能力全貌的理解。範例中學生所反應的內容，係來自於實際教學過程中學生所出現的反應，羅列於此供未來教學者參考。

設計者：林迺超老師

單元名稱：「運動會」　　　　　　　　　　　　　　　難度：低

教學流程	活動內容	學生可能反應
Step1 暖身活動 播放 PPT 第 1 頁 〈人物介紹〉	1. 教師佈題喚醒舊經驗：「喜歡學校的運動會／體育表演會活動嗎？」「參加過哪些競賽或表演項目？」 2. 教師繼續佈題：「那你們遇到不擅長的項目時，怎麼辦？」 3. 教師：「接下來，老師要播一個小朋友聊天的動畫喔，故事主角有小東及浩浩兩人，動畫很短，一下子就結束了，請你們要專心看喔！」	1. 可能會表示「沒特別的」、「還好」或發表相關經驗如「大隊接力」、「趣味競賽」等。 2. 可能會表示「不理它」、「老師會教」、「放學後會找同學練習」。 3. 讓學生自由談論相關經驗，若沒有明顯相關，則可適時中斷。
Step2 播放動畫	題幹內容：浩浩和小東在跑道上聊天，浩浩不會三步上籃，小東教導過後，浩浩仍然不會。 行為選項：三個選項	
Step3 1. 發下小書 2. 播放 PPT 　　Item1, Item2	1. 教師：「接下來，請各位同學在作業單上勾選答案。」 2. 若學生都表示清楚動畫，則讓學生完成作業單。	確認學生是否瞭解動畫內容，若有學生勾選╳，則讓學生重看一次。

（下頁續）

教學流程	活動內容	學生可能反應
Step4 播放 PPT 〈題幹討論〉 Item3	1. 討論學生選擇哪個行為選項，並讓學生說說看自己選擇行為的原因，若學生選對答案的理由和「維持說話」的能力無關時也沒關係，先不用進行討論。 2. 學生如果選擇錯誤，且誤解了維持說話的線索，如誤解小束或浩浩不想說話，則老師可留待後續講解「維持說話」的情境時再討論和釐清。 3. 學生所講述的理由均尊重，不要貶抑或批評其不合理。	1. 中年級以上的輕症自閉症學生大都可以選對。 2. 年紀較小或認知功能較低弱的自閉症學生會透過「行為好壞」的刪除法刪除行為一和行為三，然後選行為二。
Step5 播放 PPT 〈情緒討論〉 Item4	1. 先討論浩浩當下情緒，如果學生選的是「難過」或「緊張」，可以強調是程度上的差異，也可再進一步說明兩種情緒強度的落差。 2. 討論判斷情緒的重要副語言線索（包括眼神、動作、聲調、說話），詢問學生的判斷依據為何。其次，在公布答案時，可搭配動畫說明。	1. 部分學生回答的答案可能和預定的標準答案不一致，但若能說出合理的理由，也可給予肯定的答覆，如副語言線索。 2. 對於回答正確者可適時給予口語鼓勵，增強其回答的動機。

（下頁續）

教學流程	活動內容	學生可能反應
Step6 播放 PPT Item4	1. Item4 繼續討論記憶問題「小東有沒有幫忙浩浩」、「浩浩瞭解小東的示範動作嗎」，若學生回答錯誤，可搭配動畫說明。 2. 討論浩浩看完小東示範後的情緒，若學生回答錯誤，可透過動畫畫面定格說明答案為何是「疑惑」。其次，老師也可補充說明浩浩的情緒為什麼由緊張轉為疑惑。 3. 有些學生不太瞭解什麼是「疑惑」，老師也可補充說明「疑惑就是不明白或懷疑的意思。」 4. 討論誰想繼續聊天及為什麼，可以依學生程度進行釐清和說明，或透過表格幫學生們統整發表的意見，歸納出相關口語及非口語線索。	1. 記憶問題，自閉症學生大都回答正確。 2. 自閉症學生在討論浩浩看完小東示範後的情緒時，回答錯誤的比例偏高，有的會說是猜的或刪除法。
Step7 播放 PPT 〈行為討論〉 Item5	1. 討論學生對於行為一，包括浩浩此時談論天氣是否和話題有關，及小東聽完後想繼續聊天嗎？等選項的勾選理由。其次，老師可以在答案公布後進行釐清。	1. 老師可針對行為三加強說明為什麼浩浩回答的內容和話題有關，但小東卻不想繼續聊天的理由，是因為說話態度不佳所致。

（下頁續）

教學流程	活動內容	學生可能反應
Item6 Item7	2. 討論學生對於行為二，包括浩浩此時用詢問的方式和聊天話題是否有關，及小東聽完後想繼續聊天嗎？等選項的勾選理由。其次，老師可以在答案公布後進行釐清。 3. 討論學生對於行為三，包括浩浩此時生氣和聊天話題是否有關，及小東聽完後想繼續聊天嗎？等選項的勾選理由。其次，老師可以在答案公布後進行釐清。	2. 老師最後可針對行為一到三，不同的互動技巧（評論，追問相關訊息，評論）是否可有效維持聊天進行討論。
Step8 播放 PPT 教學篇	結合維持規則流程圖和本單元動畫，教導判斷和維持會話技巧。 1. 停下來判斷對方是否想要繼續說話（PPT 第 11-13 頁）。 2. 想一下自己是否也想要繼續說話（PPT 第 14-15 頁）。 3. 選擇要維持說話的策略（PPT 第 16-19 頁）。 4. 說出一個吸引對方的內容（PPT 第 20-21 頁）。	1. 自閉症學生在這階段常常會出現只是聆聽「知識」的情況，可透過動畫檔搭配維持規則圖流程解釋。 2. 最後決定要說什麼的內容可搭配 PPT 第 22 頁做統整比較說明。
Step9 播放 PPT 演練篇	1. 利用 PPT 第 23 頁所提供的情境題（自己遇到困難，而協助者和自己都有想要繼續說話的意願），並運用溝通流程海報做演練，提供學生重新練習如何成功維持說話。	1. 針對自閉症學生的程度，可能需要另外設計對白，讓自閉症學生可循序練習。

（下頁續）

教學流程	活動內容	學生可能反應
	2. 播放結語及增強頁，並口語增強學生（PPT 第 25 頁）。	2. 可讓能力較弱的學生說出固定的台詞，能力較好的學生則可自由應對，然後再進行討論。

（四）結束說話教學範例

　　會話是一種合作性的社會性活動，在說話者還沒說完話的情況下很唐突地結束會話，是不禮貌的行為，反之，如果雙方想說的話都已經說完，卻還不結束說話，這也會使人感到難堪和不愉快。所以就像《溝通密技小書》動畫圖裡張老師及浩浩的對話中所討論的，不管是對方或是自己想要結束，都需要判斷結束的時機及應用策略來順利結束，而判斷結束說話時機通常會出現下列兩種線索：

1. **對方沒有繼續聊同一個話題**，像是出現多次停頓和沉默、重複前面已經說過的話、出現結論性的話語、總是被動地說話、聲音低沉無力等。

2. **出現不專注的神情或動作**，像是分心、閃神、看他方或出現一些無關的小動作等。

　　另外，想要結束說話的時候也有下列四種策略：

1. **不說話的暗示動作。**

2. **有禮貌地正式結尾。**

3. **說出總結性的話語。**

4. **提出自己或對方要做的事。**

　　以上這些都是自己或是對方想要結束說話時可應用的策略，大家可以從日常生活的對話來實際體會看看。

　　本向度的教學單元分為高及低兩種難度，提供不同程度、不同需求的學生使用。另外並附有「結束說話」讀者使用說明（參見《溝通密技小書》），給予清楚的圖片說明，作為教師講解或是學生自學時使用。為詳細說明在結束向度教學時所引導的過程與反映學生的可能回應，本向度選取難度高的「週末鄰居家」單元，作為完整教學實例說明。

　　進行教學時，建議教學者先熟悉動畫（Flash）的播放方式，瞭解動畫與教學 PPT、《溝通密技小書》（讀者使用說明及作業單）及溝通流程海報的脈絡連結後，始可進行教學活動。若單就教學流程來看，建議教學者依據相同的難度、對方結束或是自己結束的選擇，以及結束說話的四種策略做教學的選擇，以增加學生對於結束說話能力全貌的理解。範例中學生所反應的內容，係來自於實際教學過程中學生所出現的反應，羅列於此供未來教學者參考。

設計者：顏瑞隆老師

單元名稱：「週末鄰居家」　　　　　　　　　　　　難度：高

教學流程	活動內容	學生可能反應
Step1 暖身活動 播放 PPT 第 1 頁 〈人物介紹〉	教師：「接下來，老師要播一個動畫，請看一下這次動畫中的人物介紹有浩浩媽媽、鄰居阿姨及浩浩，請你們專心看動畫，看完了有問題要請你們填寫喔。」	學生可能剛開始會比較不專心，需要要求學生集中注意力，然後準備播放動畫。
Step2 播放動畫	題幹內容：浩浩媽媽對鄰居阿姨說：我想我也要快點讓妳忙啦，並邊說邊站起來。 行為選項：三個選項	
Step3 發下小書 1. 播放 PPT 　 Item 1-Item 3 2. 讓學生完成作業單 3. 討論學生舊經驗	1. 教師：「接下來，請各位同學在作業單上勾選答案。」 2. 讓學生用筆在作業單上填答。 3. 教師佈題喚醒舊經驗：「你們有到鄰居家，然後被媽媽提醒要回家的經驗嗎？」 4. 針對有經驗者追問：「那你們在那個時候都做了什麼？」	1. 確認學生是否瞭解動畫內容，若有學生勾選✗，則讓學生重看一次。 2. 督促學生完成作業單（能力好的學生可自行獨立完成後再討論，能力不好的學生可以接著進行 Step4 逐題討論）。 3. 可能會表示「忘記了」、「不知道」、「沒有」或發表相關經驗。

（下頁續）

教學流程	活動內容	學生可能反應
		4. 讓學生自由談論相關經驗，若沒有明顯相關，則可適時中斷。
Step4 播放 PPT 〈題目討論〉 Item4-Item7	邊逐題討論，邊檢視學生在作業單的答案： 1. 若學生都答對，在討論原因時除非學生的理由與所欲教學目標不符，便細部討論，不然，則可較快速進行。 2. 若有學生答錯，不需直接點出錯誤，但可以詢問學生的填答理由，並與所有的學生討論。	
Step5 播放 PPT 〈統整討論〉 Item8	由老師用口語提示學生剛剛動畫中的行為，並藉由前面題目的提示，協助學生做概念上的統整： 1. 討論行為一：浩浩做了什麼行為？如何知道媽媽要準備回家了？從哪些線索看出媽媽的心情？媽媽為什麼是開心的，還是覺得有其他的情緒呢？ 2. 討論行為二：浩浩做了什麼行為？從哪些線索看出媽媽的心情？媽媽為什麼是尷尬的，還是覺得有其他的情緒呢？ 3. 討論行為三：浩浩做了什麼行為？從哪些線索看出媽媽的心情？媽媽為什麼是尷尬的，還是覺得有其他的情緒呢？	能力好的學生根據前面題目的提示，應該有能力可以回答，但是能力不好的學生可能無法回答（需要更細部的提示，或是回頭去多看幾遍動畫後再做討論）。

（下頁續）

教學流程	活動內容	學生可能反應
Step6 播放 PPT 教學篇	1. 先說明本次教學的規則重點——結束說話，並灌輸框框內的概念（PPT 第 12 頁）。 2. 透過停想選做四步驟，及結合本單元中角色的動作與線索，教導判斷和結束技巧（PPT 第 13 頁）。 3. 停想選做四個步驟教學結束後，再次重複複習一次結束的訊號及方式（PPT 第 14 頁）。 4. 在教學結束後，再給學生重新選擇的機會（PPT 第 15 頁）。	
Step7 播放 PPT 演練篇	給予類似的題型（PPT第16頁），並運用溝通流程海報做演練。	有些學生會害羞或是真的不知道要說什麼，教師要多給予一些實例上的支持（如設計對白或是動作提示）。
Step8 播放 PPT	播放結語及增強頁，並口語增強學生。	

五、使用者心得

　　本課程在編製完成後，邀請多位有豐富教學經驗的特教老師在各自的學校進行試用與教學，使用過的老師均肯定本課程在教學上的方便性及有效性。以下是張雯婷、林泳鋅及陸瑋真三位老師的教學心得。

雙園國中教務主任　張雯婷

　　這是一套教學工具提供相當完整的教材，可以應用在不同障礙類別，甚至一般學生的教學，各種材料可以合併使用，也可以分開使用。以下針對教學對象、材料選擇、學生學習成效、教學注意事項等分別敘述。

一、教學對象

　　一般來說，輕度自閉症學生最適合這套教材。它原是針對當中患有自閉症的主角在學校、家庭和社區中，因為缺乏心智理論、難以理解情境、單一而缺乏彈性的應對模式，所遭遇到的困難來設計。然而，像是ADHD、情緒障礙、學習障礙（尤其像是知覺動作型、注意力缺陷型學障）學生，也常有情境辨識、行為策略揀選上的問題。在我的教學經驗當中，將心智理論較好的非自閉症學生和其他障礙類別的學生放在一起上課，可以互相截長補短，討論時有更多火花；演練時，特質上較衝動的學生相對於需要較長反應時間的學生，可能產生不一樣的問題，有時

很難判斷孰好孰壞，但課堂中的參與者可以看到更多行為面向，對增加行為目錄有正向的影響。

二、材料選擇

教材中最生動有趣的部分，莫過於將情境和行為立體化的 Flash 動畫，另外搭配作業單和 PPT 的使用，讓議題呈現更為完整。單就動畫來說，我曾經反覆讓學生觀看動畫並討論長達 30 分鐘，因為學生對於故事中主角的表情或言語應對有不同的想法，提出疑惑甚至質疑，這也發生在普通班學生測試的經驗中。這是一個很好的機會，因為不論是語言還是非語言的表達，都牽涉到對應方的解讀問題，當每個人帶著不同的背景和觀點來看動畫，就會有不同的想法。當然，學生的想法有時候是誤解或過度僵化，也可以讓同儕互相或由老師來澄清，最可貴的是藉由討論的過程，學生並不是被餵食所謂的社會性互動規則，而是自己發展出配合社會性情境的適切行為。PPT 和作業單的使用具有輔助性的角色，當書寫的完整性和正確性並不是老師的教學重點和目標時，把書寫的標準降低，甚至不需要寫，只需要回答，或者用圖畫來取代文字，也是一種選擇，端看教學目標及學生特質而定；只是簡單地勾選在作業單上，學生完整地和老師一起一步步完成，可以作為前後測的對照，老師對教學成效的評鑑便有所依據；另，不同時機（如：看完動畫討論前、討論後，再看一次動畫後……）用不同顏色的筆畫記，也能讓老師知道學生理解相關議題的程度，例如：討論情境中特定因素對某學生很重要，但對另外一位學生，則是需要重複呈現情境來幫助他。

三、學生學習成效

　　所有的社會性教學在成效的評鑑上都可能遇到一個問題：課堂當中透過認知行為教導、多次角色扮演，似乎對於某一類的情境或對象有熟練的應對，但不容易或至少不容易評估日常生活的類化。經驗中有幾個向度可以觀察：首先是學生生活中遇到類似事件時，是否在「應用技巧的道路上」。以本教材提供統整性的因應路徑或流程來看，是需要經過教導並有多次經驗來內化成對學生來說好用的技巧，所以老師可以觀察甚至詢問學生，是採取怎樣的想法和因應策略，來判斷課堂上的知能是否內化，或至少在內化的路上。其次，類化應用常牽涉到情境中不同的人，提供其他老師、同儕、家長，甚或是社區當中重要他人我們教導過的路徑或流程，有助於大家一致性地引導學生展現所需的技巧，當然，此時和這些重要他人的溝通和意見交換便很重要。我曾經在教導完某個情境和技巧後，遇到學生因為無法因應衝突情境而到我的教室隔離，當學生冷靜下來後，我嘗試重建該情境並帶入教過的技巧，引導其對照他學過的路徑，判斷哪一個環節可能出錯，可以明顯發現學習和討論過的內容，的確對學生增進因應能力、內化所需技巧有所幫助。

四、教學注意事項

　　每個老師有不同的教學風格和策略，使用本教材遭遇的問題可能很不相同，以下是我的個人經驗。

　　雖然教導社會技巧沒有進度的議題，但以我自己的教學風格，常常在教學過程中旁生枝節，使得教學進程拖太長或失焦。我的建議是，第一次教學的時候，先按部就班把流程走完，熟練課程內容後，針對學生

特質或需要的目標，調整教學向度，聚焦在特定的議題，像是表情的辨識和掌握（動畫中的人物在其眉毛、眼睛、嘴部常有細微變化）、語言表達的口氣、音量、聲調高低和情境、行為判斷的關聯、著重行為演練和角色扮演等。若發現自己的教學風格恰與我相反，建議一樣先走過一次，然後觀察學生的反應，設定特定的目標，這需要下一些功夫。

即使課前經過篩選，有時同一堂課的學生個別差異還是有可能滿大。我的某個班曾經有一位自閉症學生，他的成績相當優異，但上課怎麼都難以融入其他即便是自閉症學生對社會性情境的討論，這時發揮差異化教學的功力，設定不同的期待和目標便很重要。其他的學生就是這位學生最好的典範（role model），我會讓其他學生先發表然後輪到他、其他學生先演示再請他上台。座位上，我會穿插安排融入課程狀況較佳和較差者坐在隔壁，以免那些本來就難以融入者一直處於跟不上腳步的狀態。

社會技巧課程常利用早自習、午休等時間進行，學生上下課時間的緊迫性較高，常使課程進度和目標需要隨之調整。若一節課的時間難以完成預定的課程，下一節課快速暖身（前情提要）的方法便是再看一次動畫，學生對於動畫的視聽覺刺激接收度比口述講解、作業單書寫要好很多。有時學生會主動要求重複觀看動畫，可以詢問學生哪一個部分需要再看、為什麼這樣要求，藉此研判他們可能的議題在哪裡。

這樣的課程很適合協同教學。社會性溝通源自於生活上的需求，複雜度高，可謂變化萬千，透過與夥伴老師的課前準備、課程當中的搭配和課後討論，可以提供學生在某情境或某議題上更多元的思考，增加想法和行為上的彈性。以目前教育當局鼓勵老師進行教師專業發展中，給

予專業回饋、教學經驗分享甚至行動研究，這份教材可以作為實踐的基石。

中山國小資源班教師　林泳鋅

　　在學校資源班教社會技巧課程的時候，我覺得要教自閉症學生「溝通」真的是一件很困難的事情，因為真正的溝通不僅僅是訊息內容傳遞，還包含情感的交流、非口語訊息的互動等。當我受邀參與臺灣師範大學張正芬教授舉辦的麻吉營時，有機會接觸到數位社會性溝通課程，內心裡面對於這套課程有期待也有懷疑。於是我就抱持著試試看的心情，參加麻吉營的數位社會性溝通課程教學實驗。

　　果然在開始教學時，因為「溝通」的過程看起來人人都懂，卻隱含許多細節，其實不容易讓學生融入溝通的歷程。剛開始教學時十分挫折，後來隨著教學次數增多之後，才逐漸掌握課程內涵的重點。因此我會建議教學者在上課前要充分的備課，一定要熟練開啟、輪流、維持和結束四個溝通階段的技巧。此外，如果學生先有情緒辨識的概念，例如：表情辨識、非口語訊息的覺察等，對學習溝通行為會有明顯的幫助。另外，在教學前對學生先講解動畫主題和上課的重點，例如：溝通技巧的結束，以及結束時對方的口語訊息或肢體訊息等，這些規則先讓學生有概念後，再看動畫會有助於學生對課程內涵的理解及抓取動畫中的重點。

　　本套課程教材內容有附上溝通規則的PPT檔，會和動畫交互使用。教學者在使用上可能會因為學生程度、班級氣氛、討論衍生出的議題而

要有彈性的調整，例如：有些題目雖然是選擇題，但和開放性問題一樣，不要立即給答案比較可以增進討論。同時也可以善用作業單；在實驗教學過程中，我發現讓學生邊討論邊完成作業單，有助於學習動機較低的自閉症學生。另外，我也會建議在看完動畫、討論溝通技巧之後，應該要有實際溝通演練的機會，雖然這樣一節課下來時間會很趕，可能會需要用到兩節課的時間，但有溝通演練的過程，教學者才能觀察到學生是否能將學到的溝通技巧用在實際的溝通互動過程中。

雖然溝通對自閉症學生來說真的是一件不容易的事情，但是有這套數位社會性課程，真的可以讓教學者有效教導自閉症學生的「溝通」，很期待這套教材的出版可以幫助提升自閉症學生的溝通能力。

中山國小特教班教師　陸瑋真

- **使用對象**：自閉症等資源班學生
- **使用方法**：播放動畫後，與學生一同討論動畫中出現的問題，協助學生釐清問題。
- **教材優點**：透過生活化的情境，以動畫的方式呈現，配合真人語音增加真實感，可以提升學生的學習興趣。
- **使用心得**：

因緣際會下參加張正芬老師的麻吉營，有幸接觸這套教材，教材本身設計依據學生在校園中可能出現之問題，透過動畫的方式加上真人語音呈現，讓學生透過觀看動畫，從中發現問題，與同儕間彼此腦力激盪

解決問題，找到更好的方法。使用教材的過程中，學生容易討論自己有興趣的部分，如：那個聲音是誰啊？許多與核心問題無關的事情，在學生的眼中，到處充滿好奇，有時會離題動畫中真正的核心概念加以討論，這是老師在運用動畫教材時可能會面臨到的議題，因此建議老師在正式教學之前，一定要充分備課熟悉教材，避免與學生討論時離題而忽略了主題核心概念。

　　教材動畫內容設定為家庭、學校和社區三大情境，無法針對每位學生或每間學校的不同而做修改，因此在教學的過程中，有時候學生在看動畫時，會直接反應與學校中的情境不同，而無法再與其討論相關的核心問題。此時老師可以針對該主題的核心概念進行討論，例如：如何開啟話題、開啟話題時應該注意的時機或是場合，而不是流於與學生討論動畫場景畫面。

　　教材中有附上作業單，在討論過程中配合作業單，更能協助學生釐清問題，總結自己的思緒，將最佳的方法寫下來。不過學生可能發生的問題是拿到作業單便流於專注在寫作業單而忽略了中間的討論過程，只在乎自己有沒有寫對，有沒有得到滿分，因此老師應該重視的是討論過程。學生之間如果出現不一樣的答案，可以和學生們討論不同的想法，但一定要緊扣主題的溝通核心概念（開啟、輪流、維持、結束的技巧）與學生討論。在課堂討論中，可以瞭解學生對「溝通」這件事情的表現能力如何，透過彼此討論的過程中，學生們如何開啟話題？有人開啟話題後，是否有人可以維持話題？在討論的過程中，能否等待發言者說完再發言；如何結束話題再開啟新話題等，形成一個很自然的「社會溝通」情境，觀察學生的反應與能力。

　　在社交技巧的相關教材中，鮮少教材是教導學生如何溝通、與人聊天說話的。「和別人聊天」對自閉症和亞斯的孩子，本身就是一件困難的事情，他們大多只想說自己想說的話，或是沉浸在自己的世界裡，與他人的互動可說是少之又少，即使有興趣想跟別人一起玩或聊天，也無法掌握正確開啟話題或是加入話題的方法，久而久之，在校園中，他們漸漸成為獨行俠，習慣自己獨來獨往，或是抓著老師不放，因為只有老師能有耐心地聽他說著想說的話題，也不會打斷他的談話，但未來生活在社會中，「溝通」是很重要的一項技能。

　　這項技巧本身就具有難度，更何況是要設計相關的課程或教材來教導這項技巧，更是困難。很期待教材發行，讓我們未來能有相關的教材使用或參考，讓教導「溝通」或「聊天」不再是天方夜譚。

參考文獻

中文部分

吳沛璇、張正芬（2012）。亞斯柏格症學生在魏氏兒童智力量表－第四版
（WISC-IV）的表現。**特殊教育研究學刊，37（2），**85-110。

李秀真、張正芬（2009）。學前亞斯柏格症兒童話輪轉換之語用特質研究。
特殊教育研究學刊，34（2），47-72。

林洒超、張正芬（2011）。輕度 ASD 兒童會話理解能力之研究。**特殊教育
研究學刊，36（2），**51-76。

陳冠杏（2007）。**亞斯柏格症學生在不同情境中會話話題之研究**（未出版
之博士論文）。國立臺灣師範大學，臺北市。

鄒啟蓉、張顯達（2007）。高功能自閉症兒童說故事能力與相關影響因素
研究。**特殊教育研究學刊，32（3），**87-109。

鳳華（2006）。從 Skinner 的互動式語言談高功能自閉症學生社會互動語言
之教導。**特殊教育季刊，101，**25-33。

錡寶香（2009）。**兒童語言與溝通發展**。臺北市：心理。

英文部分

Adams, C., Green, J., Gilchrist, A., & Cox, A. (2002). Conversational behavior of children with Asperger syndrome and conduct disorder. *Journal of Psychology and Psychiatry, 43*(5), 679-690.

Barraja-Rohan, A. M. (2011). Using conversation analysis in the second language classroom to teach interactional competence. *Language Teaching Research, 15*(4), 479-507.

Craig, H. K., & Washington, J. A. (1986). Children's turn-taking behaviors: Social-linguistic interaction. *Journal of Pragmatics, 10*, 173-197.

Diehl, J. J., Bennetto, L., & Young, E. C. (2006). Story recall and narrative coherence of high-functioning children with autism spectrum disorders. *Journal of Abnormal Child Psychology, 34*(1), 87-102.

Gustafson, M. S., & Dobkowski, K. G. (1994). *Parents as facilitators of conversational skill development*. ED386010.

Huth, T., & Taleghani-Nikazm, C. (2006). How can insights from conversation analysis be directly applied to teaching L2 pragmatics? *Language Teaching Research, 10*(1), 53-79.

Norbury, C. F. (2005). The relationship between theory of mind and metaphor: Evidence from children with language impairment and autistic spectrum disorder. *British Journal of Developmental Psychology, 23*, 383-399.

Sacks, H., Schegloff, E. A., & Jefferson, G. (1974). A simplest systematics for the organization of turn-taking for conversation. *Language, 50*(4), 696-735. Retrieved from http://www.sscnet.ucla.edu/soc/faculty/schegloff/

Safran, S. P., Safran, J. S., & Ellis, K. (2003). Intervention ABCs for children with Asperger syndrome. *Topics in Language Disorders, 23*(2), 154-165.

Schegloff, E. A. (2001). Accounts of conduct in interaction: Interruption, overlap, and turntaking. In J. Turner (Ed.), *Handbook of sociological theory* (pp. 287-321). New York, NY: Kluwer.

Schegloff, E. A., & Sacks, H. (1973). Opening up closings. *Semiotica, 8*, 28.

Skinner, B. F. (1957). *Verbal behaviour*. New York: Appleton-Century-Crofts.

Weiss, A. L. (2004). Why we should consider pragmatics when planning treatment for children who stutter language. *Speech & Hearing Services in Schools, 35*(1), 34-45.

Wong, J., & Zhang, W. H. (2010). *Conversation analysis and second language pedagogy*. New York, NY: Routledge.

教學光碟
使用說明

一、教學光碟檔案說明

　　教學光碟內共有三種檔案，第一種是動畫檔案（Flash），內容為「提升說話技巧的 43 堂課」每一單元的動畫；第二種是搭配每一單元動畫的教學簡報檔案。第三種是兩個圖檔，其中一個是社會性溝通架構圖的電子圖檔，以及一個完整的輪流說話向度打斷流程圖的電子圖檔。

名稱 ^	修改日期	類型	大小
📁 動畫	2023/5/2 …	檔案資料夾	
📁 教學簡報	2023/4/25 …	檔案資料夾	
📁 電子圖檔	2023/5/2 …	檔案資料夾	

二、動畫檔案操作說明

（一）點開教學光碟中「動畫」的資料夾

名稱 ^	修改日期	類型	大小
📁 video	2023/5/2 …	檔案資料夾	
📁 首頁.app	2023/5/2 …	檔案資料夾	
⚡ begin.exe	2021/12/1 …	應用程式	11,761 KB
🗋 DS_Store	2021/12/1 …	檔案	9 KB

（二）動畫選單介面

　　點選 begin.exe 之後，會出現三個場景選項，依序為學校、社區及家庭。

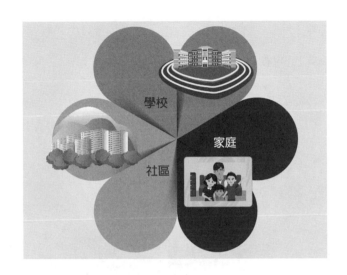

（三）動畫選單連結內容

　　動畫內容共分為三種場景，每個場景有四大向度，每個向度下都有數量不同的情境動畫。以學校篇為例：

1. 將游標移到「學校」，並按下滑鼠左鍵便可進入學校篇動畫。

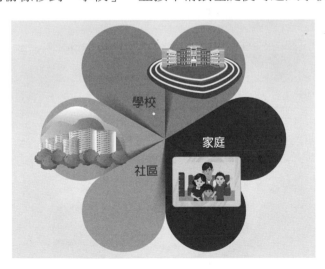

2. 進入學校篇，將游標移到任一向度，並按下滑鼠左鍵便可進
入該向度的動畫（以開啟說話向度為例）。

3. 進入開啟向度後，便會出現屬於學校篇開啟說話向度的五個
單元選單，按下滑鼠左鍵便可進入想要的單元的動畫（以開
啟說話向度的「六福村」單元為例）。

4. 進入「六福村」單元的動畫後便可以直接觀看完整動畫。看
　　完之後，如果還需要再看一次或是想要移動到動畫的某個時
　　間點，可以用滑鼠左鍵按下畫面左下角的播放／暫停鍵，或
　　是移動播放拉桿上的黑色正方形。

①播放／暫停鍵　②黑色正方形播放拉桿　③白色數字行為選項鍵

5. 另外，如果想要重看三種行為的話，可以用滑鼠左鍵按下畫
　　面右下角的三個白色數字鍵，就可以再次播放所選擇的各別
　　行為選項。

三、教學簡報檔案操作說明

以 Microsoft PowerPoint 程式播放教學 PPT 的說明如下：

1.　先進入「教學簡報」資料夾，會出現四個向度選項，依序為
　　開啟、輪流、維持、結束。

名稱 ∧	修改日期	類型	大小
📁 1.開啟	2023/5/2 …	檔案資料夾	
📁 2.輪流	2023/5/2 …	檔案資料夾	
📁 3.維持	2023/5/2 …	檔案資料夾	
📁 4.結束	2023/5/2 …	檔案資料夾	

2.　選擇進入四個向度的其中一個資料夾（以結束說話向度的
　　「鄰居阿姨下班」單元為例），點選後進入結束說話向度資

料夾，游標移到「鄰居阿姨下班」檔案，並按滑鼠左鍵兩下，即可開啟該單元的 PPT 檔案。

名稱 ^	修改日期	類型	大小
結束1PPT_打電動玩具.pptx	2023/5/2 …	Microsoft PowerPoint 簡報	1,207 KB
結束2PPT_老師急著要去開會.pptx	2023/5/2 …	Microsoft PowerPoint 簡報	1,339 KB
結束3PPT_急著去上廁所.pptx	2023/5/2 …	Microsoft PowerPoint 簡報	621 KB
結束4PPT_上課偏雜主題.pptx	2023/4/21…	Microsoft PowerPoint 簡報	1,544 KB
結束5PPT_鄰居阿姨下班.pptx	2023/5/2 …	Microsoft PowerPoint 簡報	1,392 KB
結束6PPT_週末鄰居家.pptx	2023/5/2 …	Microsoft PowerPoint 簡報	1,432 KB
結束7PPT_打電話問回家作業.pptx	2023/5/2 …	Microsoft PowerPoint 簡報	1,017 KB
結束8PPT_不想借同學手錶.pptx	2023/5/2 …	Microsoft PowerPoint 簡報	397 KB
結束9PPT_媽媽下班好累.pptx	2023/5/2 …	Microsoft PowerPoint 簡報	1,232 KB

3. 用滑鼠左鍵按下 PPT 檔案右下角的播放鍵，便可以開始播放結束說話向度「鄰居阿姨下班」單元的教學 PPT。

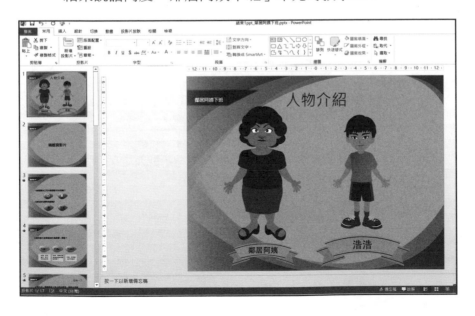

四、電子圖檔操作說明

點開電子圖檔的資料夾，並點擊社會性溝通架構圖的電子圖檔，便可以展開完整的社會性溝通架構圖，用以配合教學使用。

名稱 ^	修改日期	類型	大小
社會性溝通架構圖.pdf	2023/4/6 ...	Adobe Acrobat 文件	1,942 KB
輪流說話向度打斷流程圖.pdf	2023/5/2 ...	Adobe Acrobat 文件	284 KB

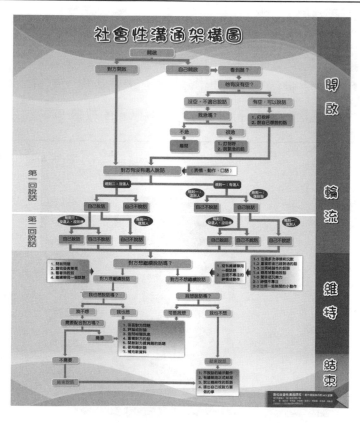

點開電子圖檔的資料夾，並點擊輪流說話向度打斷流程圖的電子圖檔，便可以展開完整的打斷流程圖，用以配合教學使用。

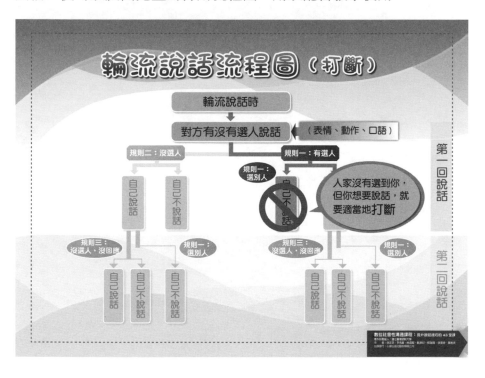

Part

3

附錄

附錄一 ▶ 向度、層次、目標、次目標對照表

一、開啟說話

向度	層次	目標	次目標
開啟說話	判斷線索	1. 根據他人的表情與動作，依不同情境下的適宜性決定是否開啟話題	1-1 能根據他人「表情和動作」（例如：微笑揮手、低頭批改作業），判斷對方是否有空說話。
			1-2 能根據「地點場合」（例如：操場、圖書館），判斷是否能開啟話題。
			1-3 能根據自己「談話內容的緊急性」（例如：看電影、我頭痛想吐），判斷是否必須開啟話題。
	開啟技巧	1. 能先向對方有禮貌地打招呼	1-1 能表現微笑，以「口語」（例如：Hi、王老師）打招呼。
			1-2 能微笑表現「身體姿態」（例如：看著對方揮手、點頭），向對方打招呼。
		2. 打招呼後，能說一個話題	2-1 能與對方保持適當距離，眼睛看著對方，說一個話題。
			2-2 能先說有關對方的話（例如：你要去哪裡？），再說自己想說的話。
			2-3 當急迫時，能眼睛看著對方，說緊急的話。

二、輪流說話

規則一：人家選到你，你才能說話。

規則二：如果說話的人沒有選下一個說話人，你可以說話，也可以不說話。

規則三：如果自己沒有選人說話，但是沒有人回答，你可以繼續說話，也可以不說話。

向度	層次	目標	次目標
輪流說話	判斷線索	1. 根據目前說話者的口語、動作及表情，在不同情境下判斷是否輪到自己說話	1-1 能根據目前說話者的「口語線索」（例如：他人點到自己姓名、叫自己停止），判斷是否輪到自己說話，或不要說話。
			1-2 能根據目前說話者的「身體動作」（例如：他人以手碰碰自己的手臂），判斷是否輪到自己說話，或不要說話。
			1-3 能根據目前說話者的「臉部表情」（例如：他人對自己努努嘴、眼神注視），判斷是否輪到自己說話，或不要說話。
		2. 根據目前說話者的口語、動作及表情，在不同情境下判斷是否可以適當打斷對方目前說話	2-1 能根據目前說話者的「口語線索」（例如：對方目前說話的主題是什麼？）判斷是否可以打斷對方說話。
			2-2 能根據目前說話者的「身體動作」（例如：對方正急著要去某處或是急著做某件事），判斷是否可以打斷對方說話。
			2-3 能根據目前說話者的「臉部表情」（例如：對方是否正在生氣或是難過），判斷是否可以打斷對方說話。

向度	層次	目標	次目標
輪流說話	輪流技巧	1. 當對方選到自己說話或自選說話時，用適當的方式回答	1-1 當對方選到自己說話或是自己說完話，但是沒人接話，所以自己選自己繼續接下去說話時，能用適當的表達方式（例如：眼睛看對方、音量大小適中、態度禮貌及用相關的內容）回答對方。
		2. 當尚未輪到自己說話時，要能安靜等待	2-1 當尚未輪到自己說話時，能用適當的等待方式（例如：眼睛看對方、安靜不說話及態度禮貌）來等待。
		3. 能用適當的打斷技巧打斷目前說話者的談話	3-1 能根據目前說話者的「口語線索、身體動作及臉部表情」，判斷是否以「主題與說話對象有關的方式」適當打斷對方目前說話。
			3-2 能根據目前說話者的「口語線索、身體動作及臉部表情」，判斷是否以「有禮貌的方式」適當打斷對方目前說話。
			3-3 能根據目前說話者的「口語線索、身體動作及臉部表情」，判斷是否以「有相關或有接續性主題的新話題」適當打斷對方目前說話。

三、維持說話

向度	層次	目標	次目標
維持說話	判斷線索	1. 能根據他人的表情、動作及語氣，在不同情境下預測他人想維持說話	1-1 能根據他人「臉部表情」（例如：眼神注視自己、面露微笑），判斷對方想繼續和自己說話。
			1-2 能根據他人「身體動作」（例如：揮手、面對自己），判斷對方想繼續和自己說話。
			1-3 能根據他人「口語線索」（例如：問我問題、請我發表意見），判斷對方想繼續和自己說話。
		2. 能根據他人的表情、動作及語氣，在不同情境下預測他人不想維持說話	2-1 能根據他人「臉部表情」（例如：東張西望、表情呆滯），判斷對方不想繼續和自己說話。
			2-2 能根據他人「身體動作」（例如：轉頭、低頭整理東西、繼續做自己的事、離開原來的位置），判斷對方不想繼續和自己說話。
			2-3 能根據他人「口語線索」（例如：語氣停頓、不說話），判斷對方不想繼續和自己說話。

Part 1　Part 2　Part 3

向度	層次	目標	次目標
維持說話	維持技巧	1. 能透過維持說話技巧，與他人持續討論雙方都感興趣的話題	1-1 能透過附和對方說話內容的技巧（例如：評論、追問相關訊息、重複對方的話），使對方持續與自己談論雙方都感興趣的話題。
			1-2 能透過添加新訊息的技巧（例如：回答對方問題、開啟對方感興趣的話題、補充新資料等），使對方持續與自己談論雙方都感興趣的話題。
			1-3 能透過轉折語的語法技巧（例如：還有一件事、可是、但是），吸引對方的注意，使對方持續與自己談論雙方都感興趣的話題。
		2. 在對方不想繼續說話時，能透過維持說話技巧，使對方願意與自己繼續說話	2-1 能透過附和對方說話內容的技巧（例如：評論、追問相關訊息、重複對方的話），在對方不想繼續說話時，使對方願意與自己繼續說話。
			2-2 能透過添加新訊息的技巧（例如：回答對方問題、開啟對方感興趣的話題、補充新資料等），在對方不想繼續說話時，使對方願意與自己繼續說話。
			2-3 能透過轉折語的語法技巧（例如：還有一件事、可是、但是），吸引對方的注意，在對方不想繼續說話時，使對方願意與自己繼續說話。
		3. 在對方想繼續說話，但自己卻不想說話時，能結束說話	3-1 能運用結束說話技巧（例如：身體姿勢、總結性語言、正式結尾語），有禮貌地結束說話。

四、結束說話

向度	層次	目標	次目標
結束說話	判斷線索	1. 根據他人的口語、表情與動作，在不同情境下適宜地結束話題	1-1 從對方說話的表情動作，判斷對方對繼續談話不感興趣或無法繼續話題，例如：對方一直看手錶、左顧右盼、無法專心。
			1-2 從對方談話的內容，可以判斷對方對繼續談話不感興趣或無法繼續話題，例如：「我現在不想討論這件事」、「我們下次再談這件事好嗎？」
			1-3 判斷談話內容是否出現已經談完的線索，例如：出現較多較長的停頓和沉默、重複前面已經說過的話、說些帶結論性的話語，如「很高興解決了」。
	結束技巧	1. 能運用身體姿態透露話題結束	1-1 能用動作或表情（例如：站起來、整理自己的東西），來表達要結束話題。
		2. 能運用口語表達話題結束	2-1 能用總結性語言（例如：「今天聊得很開心」、「還有其他的事嗎」），來進行話題結束。
			2-2 提出自己或對方要做的事（例如：「啊，我要上課了」、「聊了好久，我該走了」），來進行話題結束。
		3. 能用有禮貌的方式表達結束話題	3-1 能用正式結尾（例如：說「再見」、動作揮手），表示話題結束。
			3-2 能用溫和有禮的動作或是口氣表達結束，例如：「很高興見到你，我們下次再見」；「謝謝老師，那我先走了」。

附錄二 ▶ 教學簡報範例

本書配合每個教學單元，均提供教學 PPT 給讀者搭配課程使用，接下來以輪流說話向度中的「同學哭了」單元教學 PPT 內容作為說明。

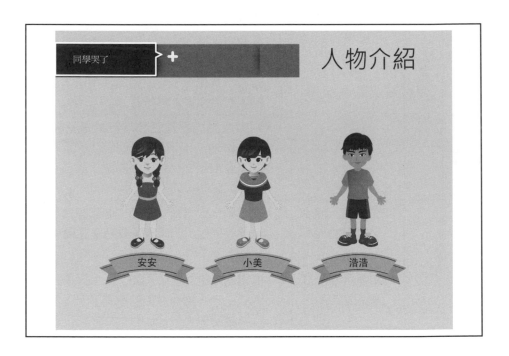

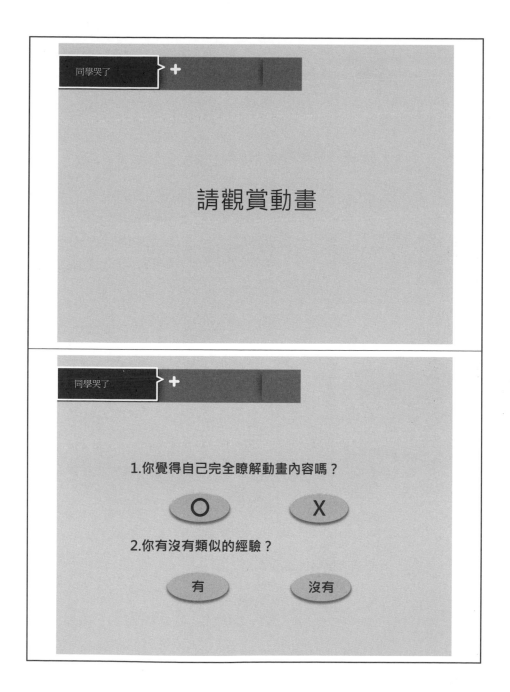

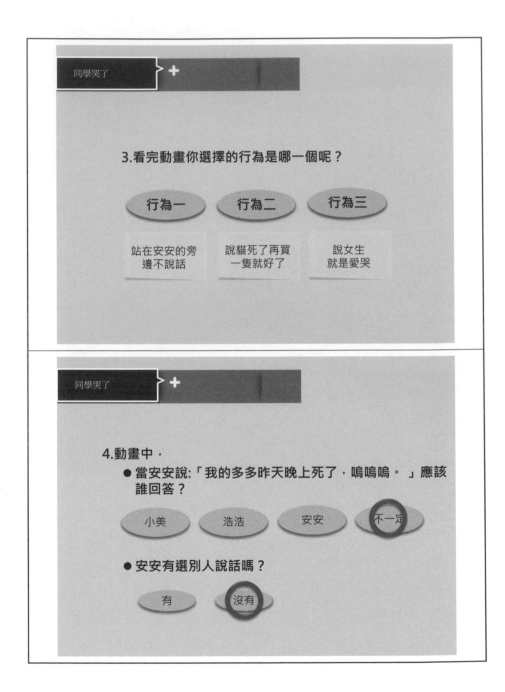

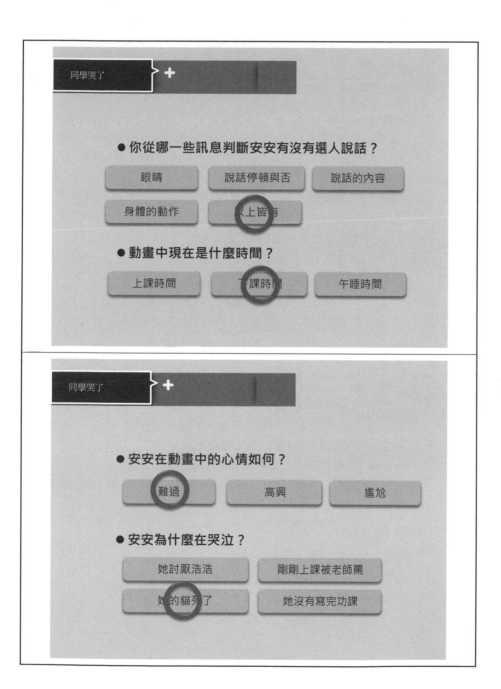

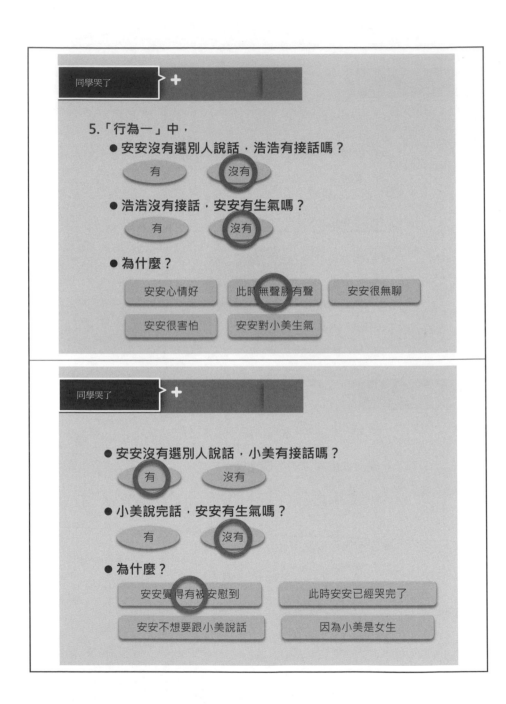

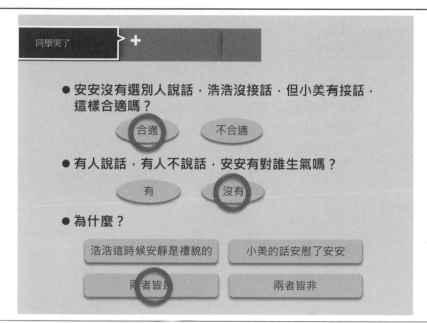

同學哭了 +

● 安安沒有選別人說話，浩浩沒接話，但小美有接話，這樣合適嗎？

合適 不合適

● 有人說話，有人不說話，安安有對誰生氣嗎？

有 沒有

● 為什麼？

浩浩這時候安靜是禮貌的 小美的話安慰了安安

兩者皆是 兩者皆非

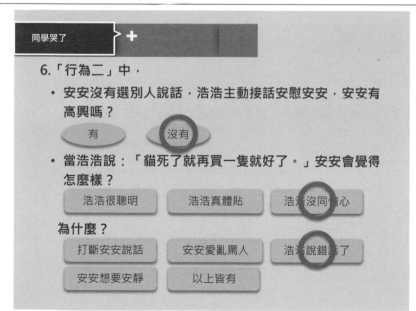

同學哭了 +

6.「行為二」中，

· 安安沒有選別人說話，浩浩主動接話安慰安安，安安有高興嗎？

有 沒有

· 當浩浩說：「貓死了就再買一隻就好了。」安安會覺得怎麼樣？

浩浩很聰明 浩浩真體貼 浩浩沒同情心

為什麼？

打斷安安說話 安安愛亂罵人 浩浩說錯話了

安安想要安靜 以上皆有

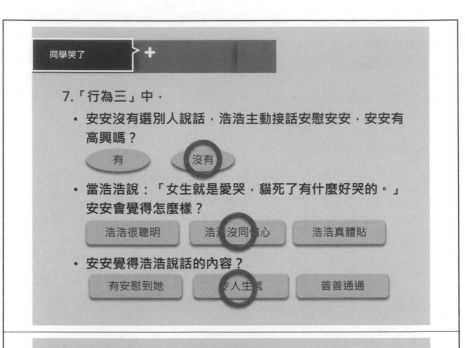

同學哭了 +

7.「行為三」中，

- 安安沒有選別人說話，浩浩主動接話安慰安安，安安有高興嗎？

  有　　　（沒有）

- 當浩浩說：「女生就是愛哭，貓死了有什麼好哭的。」安安會覺得怎麼樣？

  浩浩很聰明　　（浩浩沒同情心）　　浩浩真體貼

- 安安覺得浩浩說話的內容？

  有安慰到她　　（令人生氣）　　普普通通

同學哭了 +

8.「行為一」、「行為二」及「行為三」中，

- 三種行為有不同反應的原因，你覺得是為什麼呢？

	安安沒有選人說話		
	行為一	行為二	行為三
浩浩的行為	不接話	接話：貓死了再買一隻就好	接話：女生就是愛哭
安安的心情	沒生氣	生氣	生氣

同學哭了 ✚ 教學篇：
輪流說話~規則二

● 老師說玩具要輪流玩，拿東西要輪流排隊，另外

說話也要輪流

● 輪流說話的規則二就是

如果說話的人沒有選下一個說話人，
你可以說話，也可以不說話。

同學哭了

對方有沒有
•叫自己的名字
•用手指或是輕拍自己
•眼睛看自己
選規則二

安安
•沒有選人
•浩浩選規則二

● 因為" 人家
　　所以：

人—安安

(一)停：判斷

表達方式
眼睛—看安安
聲音—大小適中
態度—禮貌
內容—安慰的話

(二)想：人事時地物

(三)選：說話或等待

等待方式
眼睛—看安安
聲音—安靜
態度—禮貌

(四)做：回答內容跟方式

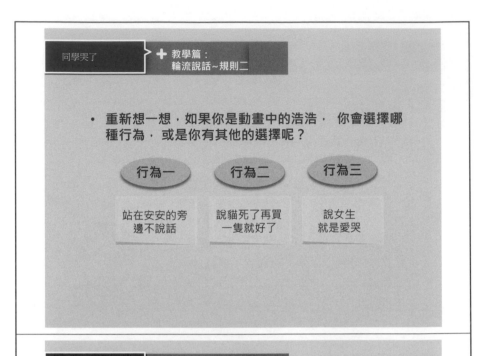

同學哭了　　　　➕ 教學篇：
　　　　　　　　　輪流說話～規則二

- 重新想一想，如果你是動畫中的浩浩， 你會選擇哪種行為， 或是你有其他的選擇呢？

行為一　　　　　行為二　　　　　行為三

站在安安的旁邊不說話　　說貓死了再買一隻就好了　　說女生就是愛哭

同學哭了　　　　➕ 演練篇：
　　　　　　　　　輪流說話～規則二

- 有一天，小美的媽媽生了很嚴重的病，小美在午休時間一直哭泣，如果你是浩浩，當小美哭泣但是沒有要你說話時，這時候你要做些什麼，才能表現出禮貌的樣子？

教學者可使用
溝通流程海報與學生討論

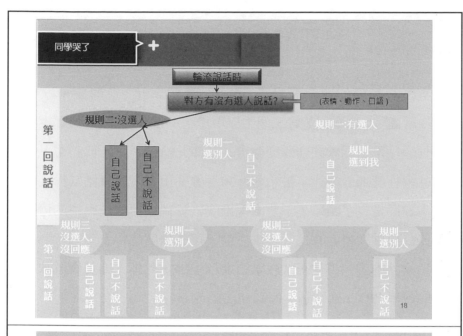

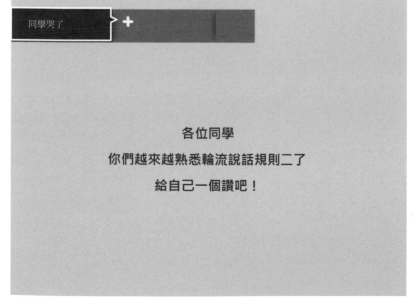

附錄三 ▶ 單元腳本

　　本書在編寫初期分別撰寫了家庭（8 個單元）、學校（29 個單元）、社區（6 個單元）等三個生態環境，共計 43 個單元的腳本，腳本排列順序是依四大向度難度編排，並據此繪製了 Flash 動畫，用以進行社會性溝通教學。本書希望能夠教導使用者習得會話結構，不同的腳本設計是為了讓學生不要出現過度依賴規則而僵硬應用的情形。本附錄三提供教學者在進行教學之前，可先瞭解題幹及三個行為反應的主角對話內容，方便正式教學後進行引導。此外，亦可修改教學光碟中的教學 PPT，進行腳本的延伸討論或演練。

一、開啟說話故事腳本

開啟說話「找同學」

片名：找同學

畫面	口白	非口語線索
場景：學校／操場／下課時間 浩浩到操場玩，看到同學小東抱著一疊作業，很匆忙地快步經過他身邊。 小東沒有看見浩浩（眼睛沒看著他）。		※浩浩沒有注意到小東有急事

三個可以選擇的畫面		
行為一	行為二	行為三
※浩浩眼神追視移動的同學小東 浩浩：小東（小東仍繼續往前走）！小東（浩浩叫更大聲，但同學沒理會）！小東（浩浩再次聲嘶力竭大叫）！ 浩浩：（生氣的表情和抱怨語氣）叫你都不會理喔！搞什麼東西呀！	※浩浩一直看著走過去的小東，沒有對他說話。同學小美經過 小美：浩浩，剛剛我有看到小東耶。 浩浩：嗯，他好像很忙耶，看起來很急的樣子，所以我沒找他了。	※浩浩跑去向小東揮揮手，小東沒看到 浩浩：欸欸欸欸欸！喔，天啊！（浩浩在後頭一直追趕小東，追到浩浩自己氣喘吁吁，停下腳步喘氣）

開啟說話「六福村」

片名：六福村		
畫面	**口白**	**非口語線索**
場景：學校／走廊／下課時間 浩浩和林老師分別從走廊的兩端走來，兩人接近時……		

三個可以選擇的畫面		
行為一	**行為二**	**行為三**
※浩浩停留在老師旁邊，但眼睛沒有看著老師，邊說邊搖晃身體，好像自言自語 浩浩：我星期天去六福村，玩火山歷險還有海盜船。（停頓 3 秒）還有跟恐龍照相、吃冰淇淋。 老師：（疑惑的表情和語氣）你在跟誰說話啊？跟我說話嗎？	※浩浩直接走過去，不理人也沒打招呼 老師：欸，浩浩，看到老師要打招呼啊。	※浩浩停下腳步在老師身邊，眼睛看著老師 浩浩：老師好。 老師：（開心的表情和語氣）嗨，浩浩好。

開啟說話「打籃球」

片名：打籃球		
畫面	**口白**	**非口語線索**
場景： 　阿宏和小東兩個同學正要去打籃球。阿宏一手拿著一顆籃球。浩浩看到他們，小跑步過去加入，然後並排走。	阿宏：我們去那裡打，那邊人比較少。 小東：好哇。	※阿宏指著一個方向
三個可以選擇的畫面		
行為一	**行為二**	**行為三**
※走著走著，浩浩轉身搶阿宏手上的籃球，接著做運球動作 阿宏大聲說：喂，你幹嘛拿我的球？還來啦！ 浩浩再運球兩下後說：我跟你們一起打呀！ 阿宏一臉不悅：你搶我們的球耶，誰要跟你打！	走著走著，浩浩側身對同學說：喂，大胖子、瘦皮猴，你們要去打球嗎？我跟你們去！ 阿宏：你亂取綽號，講那麼難聽，又沒禮貌，不想跟你打球啦。	走著走著，浩浩側身對同學說：你們要去打球嗎？我也想要加入！ 阿宏：好哇，那就來個三人鬥牛。

開啟說話「生病不舒服」

片名：生病不舒服		
畫面	口白	非口語線索
場景：家庭／客廳 　浩浩在客廳沙發看電視時，突然肚子痛了起來，雙手抱肚子，很不舒服的樣子。 　忽然電話響起，媽媽背對著浩浩，正說得興高采烈……	媽媽：喂，王太太呀……對呀，昨天限時特價，買一送一，不知道今天還有沒有……	※浩浩肚子越來越痛（雙手摸肚子、身體越來越蜷縮）
三個可以選擇的畫面		
行為一	行為二	行為三
※浩浩以上述姿勢，轉向媽媽 浩浩：（有氣沒力地）媽，我肚子很痛、很想要吐。 媽媽：（搗住話筒，緊張神情和口氣）好好好，我現在帶你去看醫生。（朝話筒說）王太太，我兒子現在不舒服，我趕快去處理一下，嗯，拜拜！	※浩浩持續不舒服中 浩浩：（自言自語）媽到底還要講多久啊？	※浩浩轉向媽媽 浩浩：（氣急敗壞地大聲說）妳到底講完了沒呀？我肚子快痛死了啦！ 媽媽：你那麼大聲幹什麼（不耐煩被打斷，瞪浩浩）。 媽媽：（朝話筒說）不好意思ㄟ，我兒子每次都打斷我們說話……好啦，再說吧……

開啟說話「遇見阿姨」

片名：遇見阿姨		
畫面	**口白**	**非口語線索**
場景：社區 　鄰居阿姨正騎著腳踏車從浩浩身邊經過。阿姨眼睛看著遠方路況，沒看到浩浩。		
三個可以選擇的畫面		
行為一	**行為二**	**行為三**
※浩浩拚命跑著想去追鄰居阿姨 浩浩邊跑邊喊：阿姨阿姨，妳說要給我模型的啊，趕快拿來呀！（阿姨速度快，完全沒聽到）	※浩浩轉向鄰居阿姨揮手，大叫著 浩浩：欸……欸……欸……，阿姨。 阿姨走了無回應後，浩浩不悅的說：都不理人，真沒有禮貌耶！	※浩浩看著鄰居阿姨走掉後，轉身繼續往前走

開啟說話「自然科學」

片名：自然科學		
畫面	**口白**	**非口語線索**
場景：學校／操場／下課時間 浩浩到操場玩，看到同學阿宏從操場另一端向他走過來。		※阿宏動作輕鬆、腳步緩緩的（無事、有空的樣子） ※浩浩看到阿宏，朝阿宏走過去
三個可以選擇的畫面		
行為一	**行為二**	**行為三**
※浩浩走向阿宏 浩浩：太陽系有八大行星，還有它們的衛星，還有矮行星、還有小行星帶…… 阿宏：（生氣的表情和抱怨語氣）幹嘛跟我講這些？我一點都不想聽！	※浩浩跑向阿宏，對他很用力拍一下（同時說） 浩浩：欸！冬瓜先生！ 阿宏：（不高興的表情，用力、緩慢的一字字說）請不要替別人亂取名字好不好？有夠沒禮貌的。 ※阿宏說完就轉頭離開了	※浩浩走向阿宏，揮揮手（同時說） 浩浩：Hi，阿宏，你要去哪裡？ 阿宏：沒有啊，只是在操場走一走，看別人在玩什麼而已。 浩浩：那我們一起去玩吧！（兩人一同走向某處）

開啟說話「我寫完功課了」

片名：我寫完功課了		
畫面	**口白**	**非口語線索**
場景： 　媽媽和鄰居阿姨正在家門口聊天，爸爸在旁聆聽。浩浩出現，站在一旁「想要」與媽媽說話。	媽媽：又有颱風要來了，一個接著一個喔。 鄰居：唉，颱風一來菜價就飆漲啊，真的很誇張耶。 媽媽：對呀，所以我乾脆不囤貨，就去外面餐廳吃，反而划算。 鄰居：這樣啊，也有道理啊！（中間有停頓）	※浩浩挪動身體趨前，對媽媽和鄰居阿姨張望
三個可以選擇的畫面		
行為一	**行為二**	**行為三**
鄰居阿姨：只是ㄏㄡˋ，我們家還是習慣自己開伙。 媽媽：喔，對呀，我最近很喜歡買那個什麼咖哩塊⋯⋯ ※浩浩趨前向著爸爸 浩浩：爸，我功課做完了，只剩兩題數學不會寫。	鄰居阿姨：只是ㄏㄡˋ，我們家還是習慣自己開伙。 媽媽：喔，對呀，我最近很喜歡買那個什麼咖哩塊⋯⋯ ※浩浩對爸爸做鬼臉 爸爸：你到底在做什麼，我都看不懂，有什麼事就說啊！	※兩造談話時浩浩一直輕輕扯著媽媽衣角 鄰居：颱風天的話這附近有哪些餐廳會開呀？ ※媽媽對著浩浩搖搖頭，把他的手輕撥開，然後回看鄰居 媽媽：喔對了，連鎖企業的像那個什麼大×花，還有什麼⋯⋯

（下頁續）

行為一	行為二	行為三
爸爸：好，那我回家教你。	浩浩：我功課做完了啦，剩下兩題數學不會寫。 ※爸爸不悅的臉、生氣口吻 爸爸：直接講就好了啊，幹嘛一直表演，看都看不懂。 ※浩浩沮喪低頭	浩浩立即打斷：我功課做完了，只剩兩題數學不會寫。 媽媽：（不悅的臉、低沉口氣）欸，我在跟阿姨說話耶，長這麼大了還亂插嘴，搞不清楚狀況喔！ 浩浩：（飆高音對抗）我哪有插嘴，我是要告訴妳我寫完功課了，哪有插嘴！ ※鄰居在旁露出尷尬臉

開啟說話「同學受傷了」

片名：同學受傷了		
畫面	**口白**	**非口語線索**
場景：學校／下課時間 浩浩在球場邊觀看同學打籃球，忽然小東與阿宏搶球時，兩人相撞，阿宏摔倒在地，頭部、手、腳擦傷流血。	場邊眾人驚呼：啊！ 小東：浩浩，我送阿宏去健康中心，你去跟老師說他受傷了。 浩浩：好。	拍球音效 ※小東語氣急切、很焦急地說
三個可以選擇的畫面		
行為一	**行為二**	**行為三**
※浩浩在門邊（與林老師有一段距離）大喊 浩浩：阿宏他受傷了、阿宏他受傷了（更大聲）、阿宏他受傷了啦（更更大聲）…… 老師：（生氣的表情和語氣）阿宏他受傷了是嗎？他現在在哪裡？你慢慢講不用大吼大叫。	※浩浩走向林老師，身體微傾朝向老師、眼睛看著她 浩浩：老師，阿宏打籃球的時候受傷了，小東現在送他去健康中心。 老師：好，謝謝你告訴我。走，你先回教室，我去看看怎麼樣了。 ※林老師立刻起身，與浩浩一同走出辦公室	※浩浩看林老師在忙，停在門邊（2 秒），之後來回踱步 林老師終於抬頭發現浩浩：Iii，浩浩，你在那裡做什麼？（語氣輕、緩） 浩浩：阿宏打籃球的時候受傷了，現在他人在健康中心。 老師：（不悅的臉、較重的口氣）：拜託，你怎麼現在才講啊？重要的事情要先說，時間都過去多久了啊？ ※林老師立刻起身，快步離開辦公室

二、輪流說話故事腳本

輪流說話「白日夢」

片名：白日夢		
畫面	**口白**	**非口語線索**
場景：學校／教室／上課時間 張老師在上數學課，小珍、浩浩和安安一起上課，黑板上畫著一個時鐘圖形。 小珍和安安都看著老師，但浩浩低頭畫畫沒有看著老師。	老師：我們已經學會看時鐘了，接下來我們算一算每位小朋友到學校花多少時間呢？ 老師停了一下，又說：我們先請每位同學按照順序說說自己早上出門的時間。請小珍先說。	
小珍看著老師回答。	小珍說：我今天早上 6 點 50 分出門。	
輪到浩浩了，浩浩還是低著頭畫畫，沒有看著老師。安安用手指點了點浩浩肩膀。		

（下頁續）

三個可以選擇的畫面		
行為一	行為二	行為三
※浩浩抬起頭說 浩浩：我想要坐捷運。 ※張老師表情有點不高興 老師：是的，浩浩想要坐捷運，但我問的是你幾點鐘出門，請你針對問題回答。	※浩浩仍低著頭，肩膀扭了一下，繼續低頭畫畫 ※安安又用手指點了點浩浩肩膀 ※浩浩仍低著頭，表情生氣 浩浩：幹嘛推我！ 老師：安安是在提醒你，換你說說看了。 浩浩：說什麼啦！ ※張老師表情有點不高興 老師：請你上課要專心，才知道老師在問什麼。	※浩浩抬起頭說 浩浩：嗯，我不知道ㄟ。我出門時沒仔細看，不知道是七點六分還是七分。 ※張老師微笑 老師：喔，沒關係，我們只需要大概的時間就可以了。

輪流說話「數學問題」

片名：數學問題		
畫面	**口白**	**非口語線索**
場景：學校／教室／上課時間 張老師正在講解時間問題，黑板上寫著時間 12：30 和 1：10，大家都在專心看著張老師。	老師：我們都知道一小時有 60 分鐘。	
張老師指著黑板上的時間，面對著同學。	老師：我們每天午休是 12 點半到 1 點 10 分，那麼午休總共是幾分鐘呢？小美，請妳回答？	
小美想了一想，還沒回答。		

三個可以選擇的畫面		
行為一	**行為二**	**行為三**
※小美想了很久，浩浩在位置上看著小美，等待小美回答 老師：小美妳說說看。 小美：我 …… 我不知道。 老師：那麼請浩浩回答。	※浩浩沒有舉手，直接站起來大聲搶答 浩浩：我知道，我知道，是 40 分鐘。 ※張老師表情有點不高興 老師：我剛剛的問題是問小美，不是問你。	※小美想了很久，浩浩在位置上（無奈表情），等待小美回答 老師催小美：小美妳說說看。 ※小美口氣遲疑 小美：我……我不知道。應該是 30 分鐘吧……

（下頁續）

行為一	行為二	行為三
※浩浩表情開心 浩浩：是 40 分鐘。 老師：很好，答對了。		※浩浩不等老師回應，直接搶話，並嘲笑同學的回應內容 浩浩：笑死人了，是 40 分鐘才對啦。 ※張老師口氣很生氣 老師：浩浩我沒有請你回答，請你不要發言。

輪流說話「有獎徵答」

片名：有獎徵答		
畫面	**口白**	**非口語線索**
場景：學校／教室／上課時間 張老師進行有獎徵答。 小珍、浩浩和安安一起都認真地看著張老師。	老師：我們接下來要進行常識問題的有獎徵答，優勝的人會有獎品喔。 浩浩：YA！我一定要得到獎品。 小珍和安安也都說：我也要。 老師：注意喔，要等我完全說完題目後說「請搶答」，你們再舉手，由我點舉手最快的人回答。	
小珍、浩浩和安安一起都點點頭。		
	老師：第一題「床前明月光，疑似地上霜」是哪一個朝代的作品？請搶答。	
小珍、浩浩和安安一起都舉手。	老師：安安回答。 安安：李白。 老師：答錯了。	
小珍、浩浩又一起都舉手。（同速）		

（下頁續）

三個可以選擇的畫面		
行為一	行為二	行為三
浩浩：老師，唐朝！唐朝！ 老師：小珍回答。 浩浩大吼大叫：不公平啦，為什麼不叫我，我明明就答對了。 老師皺眉頭：我說要由我點到的人回答，請你不要亂搶答。	老師：浩浩回答。 浩浩：唐朝！ 老師：答對了。 老師：注意聽，第二題……	浩浩：唐朝！ 老師忽視浩浩：請小珍回答。 小珍：唐朝！ 老師：答對了。

Part 1

Part 2

Part 3

輪流說話「老師要結婚了」

片名：老師要結婚了		
畫面	**口白**	**非口語線索**
場景：社區／鄰居家／客廳 媽媽跟鄰居阿姨聊天。 浩浩一開始時在一旁自己看昆蟲書。	鄰居阿姨：你們最近要不要跟我們家一起去露營啊？ 媽媽：好主意喔，什麼時候？ 鄰居阿姨：下下週六。 媽媽：這時間我要先去看一下…… 浩浩突然打斷媽媽：媽媽，我聽說我們老師下個月要結婚了ㄟ。	
媽媽停下動作，看著浩浩。	媽媽看著浩浩：喔，這樣啊。你先乖乖自己看書。	

三個可以選擇的畫面		
行為一	**行為二**	**行為三**
媽媽接下來眼睛繼續回看鄰居阿姨說：我要先去看一下時間可不可以再回答妳。 浩浩：（用手輕輕摸媽媽的手）媽媽，我等一下可以跟妳說老師的事嗎？ 媽媽：（表情開心地說）可以啊！浩浩你很棒，先等一等喔。	媽媽接下來眼睛繼續回看鄰居阿姨說：我要先去看一下時間可不可以再回答妳。 浩浩：（生氣）為什麼妳都不聽我說話！ 媽媽：（有點生氣地說）浩浩，你這樣不禮貌喔！	媽媽接下來眼睛繼續回看鄰居阿姨說：我要先看一下時間可不可以再回答妳。 浩浩：（自己一邊生氣一邊敲著昆蟲書）哼。

輪流說話「園遊會討論」

片名：園遊會討論		
畫面	**口白**	**非口語線索**
場景：學校／教室／上課時間 黑板上寫著園遊會討論幾個字。 小東站在黑板前跟大家報告。	小東：各位同學，等一下請各組討論園遊會要販賣的東西或是活動。	※小東的口氣要嚴肅且較大聲
※聲音為混亂的討論聲 阿宏、小美、浩浩三人一組坐在教室位置上在討論。		
阿宏跟小美在座位上討論，浩浩坐在旁邊。	阿宏：小美小美，我覺得我們可以賣冰淇淋ㄟ，去年聽說學長姊賣冰淇淋的生意不錯喔。	※阿宏的口氣有點興奮
	小美：我有聽說，但是不知道要怎麼弄ㄟ？機器以及材料不知道要去哪裡借？好像有點難。	※小美的口氣有點猶豫

（下頁續）

三個可以選擇的畫面		
行為一	行為二	行為三
※阿宏的說話速度慢慢的，且有一點猶豫的樣子，話還沒有說完就被打斷	※阿宏的說話速度慢慢的，且有一點猶豫的樣子，話還沒有說完就被打斷	※阿宏的說話速度慢慢的，且有一點猶豫的樣子，話還沒有說完就被打斷
阿宏：嗯我想我們可以問一下去年賣冰淇淋的學長姊，看看他們的機器和……	阿宏：嗯我想我們可以問一下去年賣冰淇淋的學長姊，看看他們的機器和……	阿宏：嗯我想我們可以問一下去年賣冰淇淋的學長姊，看看他們的機器和……
※浩浩表情很興奮和口氣非常急促，沒有禮貌地突然就打斷阿宏的話	※浩浩用手輕拍阿宏，示意想要打斷的說（眼睛看，手輕拍阿宏肩膀，禮貌），表情和口氣很和緩	※浩浩沒有禮貌地突然就打斷阿宏的話（眼睛看著阿宏），浩浩表情和口氣很不耐煩，還帶一點揶揄的意味
浩浩：我想到去年學校辦了昆蟲展，好棒喔，今年好想再去看一下。	浩浩：阿宏，打斷一下，我想賣飲料像是珍奶或是彈珠汽水會不會比較方便準備啊。	浩浩：ㄟ，賣冰淇淋真的很麻煩耶，這真的是有夠爛的點子ㄟ！
※阿宏的口氣很不耐煩	阿宏：ㄟ／，好像不錯喔，不過我怕大家都會賣一樣的東西。	※阿宏的口氣有點不爽
阿宏：ㄏㄡ丶，你真的是很搞不清楚狀況，我們現在在討論園遊會要賣的東西啦。		阿宏：對啦！我想的都是爛點子，就你最厲害！

輪流說話「老師的暗示」

片名：老師的暗示		
畫面	**口白**	**非口語線索**
場景：學校／辦公室 　下課時，浩浩和安安 　在林老師辦公室。	浩浩：林老師，我來交 　作業了。 老師：很好啊，先放這 　裡等我改完再發給大 　家。那安安妳的呢？ 安安：我的已經交了， 　我是陪浩浩來的。 老師：那你們還要找其 　他老師嗎？ 安安和浩浩：沒有，我 　們沒有其他的事情 　了。 老師：你們誰可以幫我 　送文件到校長室？ 　喔，對了！我這邊有 　一瓶飲料，有誰要 　喝？	
三個可以選擇的畫面		
行為一	**行為二**	**行為三**
※浩浩和安安都安靜沒 　有回答 老師說：好吧，那待會 　我再找別人去吧。 ※浩浩和安安轉頭走掉 浩浩對安安：我就知道 　老師不會選我。	浩浩：老師，妳的飲料 　是珍珠奶茶嗎？是的 　話我就幫妳送！ 老師：喂～你也太現實 　了吧！	浩浩：老師，我可以幫 　妳送喔。 老師：好，謝謝你，你 　先幫我把這個文件夾 　送到校長室，那這瓶 　飲料就給你囉。

輪流說話「還有多久上課」

片名：還有多久上課		
畫面	**口白**	**非口語線索**
場景：學校／走廊／下課時間 在走廊上，安安、小珍、阿宏及浩浩一起聊期末才藝表演的心得。	※大家都很高興 浩浩：我覺得還是小東的舞蹈最帥，他的音樂選得很棒，動作也真是帥得沒話說。 小珍：我比較喜歡阿宏，因為他真的好爆笑，安安，妳最喜歡哪一個？ 安安：我最喜歡小美的表演，她的歌唱得好好聽喔。	
當安安回答完後，同學都在看籃球場，有約 5 秒鐘的沉默時間。		
浩浩沒有針對誰地問了一個問題。	浩浩：還有幾分鐘上課啊？	
過了 5 秒，還沒有人回答問題。		

（下頁續）

三個可以選擇的畫面		
行為一	行為二	行為三
※浩浩先輕拍一下阿宏，並且很有禮貌地說 浩浩：阿宏，還有幾分鐘上課啊，我想要去上廁所ㄟ？ ※阿宏語氣平和地回應 阿宏：我不知道耶，我沒有戴手錶，如果你想上廁所的話就趕快去，應該快上課了。	※浩浩有點生氣 浩浩：到底還有幾分鐘上課？ ※同學你看我、我看你 ※浩浩一直生氣地大聲叫 浩浩：幹嘛不告訴我，把我當空氣嗎？我要去上廁所啦！ ※同學都皺眉頭生氣 安安說：你幹嘛那麼兇，我們又沒有手錶，怎麼會知道嘛。 ※同學都一起走了	※浩浩直接去戳小珍的肩膀 浩浩：ㄟㄟ，到底還有幾分鐘上課？ ※小珍生氣地大叫 小珍：你幹嘛亂碰我，我最討厭別人戳我了，我知道也不告訴你。

輪流說話「我不想看新聞」

片名：我不想看新聞		
畫面	**口白**	**非口語線索**
場景：家中／客廳／看電視 浩浩、爸爸及哥哥一起在客廳看電視，螢幕中出現女主播的影像。	女主播：明天開始每公升汽油柴油價格調漲0.5元，物價指數蠢蠢欲動，中油宣布從28日凌晨開始，柴油……	
爸爸和哥哥還是專心的看電視，浩浩則在玩抱枕。	爸爸：啥，明天汽油又要漲價了，什麼都漲就是薪水沒有漲。 哥哥：爸爸你等一下最好趕快去加油。 浩浩：為什麼要加油？ 哥哥：汽油要漲價了呀！ 浩浩：我覺得看新聞很無聊！	
爸爸和哥哥還是專心的看電視。		
三個可以選擇的畫面		
行為一	**行為二**	**行為三**
※浩浩看了看爸爸和哥哥，沒有再說什麼	浩浩：（大聲）ㄟ你們看新聞看很久了耶！好無聊，我不想看了啦。 ※爸爸表情有點不高興 爸爸：我們想看新聞，如果你不想看請你去做其他的事。	浩浩：（轉頭看爸爸）爸爸，我們可不可以不要看新聞，改看卡通好不好？ 爸爸：好吧，等一下看完明天的氣象之後，就換你看卡通。 浩浩：好啊！那我再等一下。

輪流說話「破關密技」

片名：破關密技		
畫面	口白	非口語線索
場景：學校／教室／上課時間 林老師在上數學課，小珍、浩浩和安安一起上課，安安坐浩浩旁邊，黑板上寫「6：50、7：25」。	老師：我們來算一算這位小朋友今天早上上學所花的時間，她早上6：50出門，7：25到學校。	
浩浩看著課本，小珍轉頭對安安說話。	小珍：（小聲摀住嘴說）我昨天晚上破25關了。 安安：真的，我都破不了，妳怎麼破的？ 小珍：我用浩浩教我的密技啊！	
小珍、安安轉頭看著浩浩。	小珍：浩浩，你的密技好好用，再教我一些好不好？	
三個可以選擇的畫面		
行為一	行為二	行為三
※浩浩舉起手，沒等老師叫他便說 浩浩：老師，她們兩個上課在說話。 ※林老師轉回身面對同學，表情驚訝，小珍和安安表情生氣	※浩浩眼睛看著小珍，但是輕輕地搖頭，指著前方，意思是老師上課不能說話	※浩浩看著小珍、安安，得意地說 浩浩：好啊，我還有很多密技和絕招喔，你們一定都不會。 ※林老師轉回身面對同學，表情不悅

（下頁續）

行為一	行為二	行為三
老師：怎麼聊起天來了？小珍、安安專心上課。 ※林老師又轉身寫黑板 小珍小聲地埋怨：幹嘛告狀，不跟你好了啦！ 安安也說：抓耙子，討厭鬼！		老師：怎麼聊起天來了？小珍、浩浩還有安安，上課要專心不知道嗎？ ※小珍、浩浩和安安互看了看、表情沮喪

輪流說話「同學哭了」

片名：同學哭了		
畫面	**口白**	**非口語線索**
場景：學校／走廊／下課時間 畫面顯示〈先有下課的噹噹噹鐘聲，畫面顯示下課了〉。 安安、小美、浩浩在走廊上聊天。	安安：嗚嗚嗚…… 小美：安安，昨天晚上妳的小貓多多還好嗎？已經生病好幾天了？有去看醫生嗎？ 安安：嗚嗚嗚……我的多多昨天晚上死了，嗚嗚嗚……	※一開始安安先呈現哭泣的表情及聲音 ※小美口氣擔心，表情擔憂 ※安安的表情傷心，並有流淚，聲音是難過的聲音
三個可以選擇的畫面		
行為一	**行為二**	**行為三**
※浩浩安靜地站在安安的旁邊陪伴，不說話 浩浩：…… ※小美口氣擔心，用安慰的口氣並用手輕拍安安的肩膀 小美：安安，不要難過了。 ※安安哽咽地回應 安安：嗯。	※浩浩的表情是安慰的表情，口氣和緩 浩浩：安安，貓死了再買一隻就好了啦，不要難過。 ※安安繼續大哭以及流眼淚 安安：嗚嗚嗚……我不要，我只要多多，嗚嗚嗚	※浩浩用嘲諷的語氣以及表情嘲諷安安 浩浩：唉喲，女生就是愛哭，貓死了有什麼好哭的。 ※安安邊哭邊生氣地說話回應浩浩 安安：你這個人真可惡，我不要再跟你說話了。

輪流說話「一百分」

片名：一百分		
畫面	口白	非口語線索
場景：家庭／客廳 　浩浩、爸爸和哥哥坐在客廳看電視，廣告時間。	爸爸：你們段考考完了，考得怎麼樣呢？ 哥哥：還不知道喔！老師說還沒改好。 浩浩：我們也還不知道。 爸爸：我看你們兩個這次考試都有認真準備，如果這次段考考一百分的人就可以得到 100 元。 哥哥：太好了！	

三個可以選擇的畫面		
行為一	行為二	行為三
※浩浩轉向爸爸 浩浩：爸爸，學校老師跟我們說，成績不重要，過程才重要，你這樣子，讓我壓力好大喔。 爸爸笑著說：說的也是，我看你們這次都很乖，就算沒一百分也該獎勵。那我們等考卷發回來再看看怎麼獎勵好了。	浩浩跺腳，大喊大叫：不公平不公平啦，我一定得不到啊。 爸爸皺著眉頭：我才說一下你就大吵大鬧，那就都不要獎勵算了。 哥哥也皺著眉：幹嘛拖累我，都是你害的！	※浩浩很著急，安靜地坐在旁邊摳指甲 爸爸：那麼就這樣設定了。 ※浩浩繼續摳指甲，眼睛默默流下眼淚

輪流說話「冷笑話」

片名：冷笑話		
畫面	**口白**	**非口語線索**
場景：學校／教室／上課時間 張老師正在上國文課。	老師：枯藤老樹昏鴉， 　　　小橋流水人家， 　　　古道西風瘦馬。 　　　夕陽西下……	※張老師用抑揚頓挫的聲音吟詩
張老師眼睛掃描全體同學。	老師：夕陽西下，斷腸人在哪裡？	※張老師吟詩聲音放慢
	浩浩：在醫院……哈哈哈	
張老師跟同學都很安靜。		
三個可以選擇的畫面		
行為一	**行為二**	**行為三**
浩浩：那個醫院裡有很多人在動小腸手術，我上次看到書上說，那個人體的小腸很長。 ※張老師表情生氣 老師：夠了夠了，這跟上課內容一點關係也沒有，請你上課時不要說不相關的話。	浩浩：老師，我回答問題了，請幫我加一格吧。（加分） ※張老師表情有點不高興 老師：請你正經回答問題，我不想聽你的冷笑話。	浩浩：開玩笑的啦，其實是斷腸人在天涯。 ※張老師點點頭

輪流說話「童軍課」

片名：童軍課		
畫面	**口白**	**非口語線索**
場景：學校／教室／上課時間 張老師在黑板前跟同學們說明童軍繩平結的打法（黑板上要畫出跟非口語線索相同的繩結圖案）。	老師：各位同學，剛剛我所說的就是初級繩結—平結的打法，請每一位同學等一下都要拿手上的繩子練習一遍給我看。	※張老師的語氣簡單明確
阿宏坐在中間，小珍坐在左邊，浩浩坐在右邊，三人坐在教室位置上表現出練習打繩結的動作。 阿宏和小珍坐在位置上，看了浩浩一眼，不說話，繼續打自己的繩結。	※阿宏是開心的表情 阿宏：這邊右轉過去……再左轉，哈哈，不難嘛！ ※小珍是有點困擾的表情，聲音充滿困惑 小珍：右轉……左邊……咦咦咦？？？ ※浩浩一開始是困擾的表情，聲音充滿困惑並加上有一點不耐煩的樣子。後來突然生氣大叫 浩浩：右……左……右，喔，好難ㄟ。後來突然大叫一聲：我都不會用，這要怎麼用啦。	※三個小朋友邊打繩結邊自言自語，聲音是重疊的

（下頁續）

三個可以選擇的畫面		
行為一	行為二	行為三
※浩浩先輕拍一下阿宏，並且很有禮貌地跟阿宏拜託 浩浩：阿宏，你有空嗎？可不可以教我一下？ ※阿宏語氣平和地回應 阿宏：可以啊，等我一下，我做好了就幫你。	※浩浩一直用生氣的表情大聲叫 浩浩：怎麼都沒有人教我，這很難，到底要怎麼用，這到底要怎麼用啦。 ※張老師用有點生氣的口氣大聲斥責浩浩 老師：浩浩同學，上課時間，請不要大叫，有問題可以來問我。	※阿宏正在打繩結的畫面 ※浩浩用手打斷阿宏的正在打繩結的雙手，口氣有點急地催促阿宏 浩浩：ㄟ，阿宏，你不要用了啦，你先教我怎麼做好不好。 ※阿宏有點生氣地拒絕浩浩的要求 阿宏：我還在做啦，你去問別人啦。

Part 1

Part 2

Part 3

三、維持說話故事腳本

維持說話「約會」

片名：約會		
畫面	**口白**	**非口語線索**
場景：學校／教室／下課時間 　阿宏從走廊走進教室，發現只有浩浩坐在位置上。 　這時阿宏坐到浩浩旁邊。 　阿宏表情興奮地跟浩浩分享。	阿宏：浩浩！浩浩！ 浩浩：什麼事啊，阿宏。 阿宏：我跟你說喔，我昨天有看到小東和小美一起去逛夜市喔。 浩浩：是喔。 阿宏：他們兩個有手牽手喔。 浩浩：最好是啦。	※阿宏很興奮地大叫浩浩 ※阿宏持續表情很興奮，像是發現新大陸 ※浩浩表情很淡定 ※阿宏手舞足蹈地說話 ※浩浩的表情很懷疑，有點斜眼看著阿宏
三個可以選擇的畫面		
行為一	**行為二**	**行為三**
阿宏：不相信就算了。 ※表情有點惱羞成怒 浩浩：本來就是啊，這種八卦誰相信啊。 ※越說越大聲	阿宏：當然是囉。 浩浩：你確定你沒有看錯？ 阿宏：我當然沒看錯啊，不信待會一起問小東。 浩浩：嗯，這真的是太意外了，待會可以一起糗糗小東了。 ※浩浩點頭表示同意	阿宏：你為什麼不相信我說的話。哼，你該不會是在喜歡小美吧。 ※表情有點冷笑的感覺 浩浩：才沒有，你才是勒。 阿宏：算了算了，我不跟你說了。 浩浩：好，不說就不說，反正我也沒興趣聽。

維持說話「運動會」

片名：運動會		
畫面	**口白**	**非口語線索**
場景：學校／操場／下課時間 　浩浩和小東在跑道上聊天。 　小東教浩浩打球，過了5分鐘，浩浩和小東在籃球框下聊天。	小東：哇，體育表演會又快到了。 浩浩：這次趣味競賽要比賽三步上籃耶。 小東：哎呀，這個簡單啦！ 浩浩：可是我都不會。 小東：那我來教你。 小東：其實三步上籃你就照我剛才教你的那樣就可以成功了。 浩浩：可是我都同手同腳耶。 小東：相信我啦！ 浩浩：欸……	※小東口氣要有開心、期待的感覺 ※浩浩口氣有點緊張 ※小東口氣有點臭屁 ※浩浩口氣有點抱怨 ※小東邊說邊玩手上的球 ※浩浩口氣有點遲疑 ※浩浩表情想要繼續說話
三個可以選擇的畫面		
行為一	行為二	行為三
浩浩：最近有兩個颱風在臺灣附近，而且氣象局又說東北季風要來，這應該都是全球暖化造成的喔。	浩浩：小東，我是相信你啦。那體育表演會的時間是什麼時候啊？	浩浩：可是我就是不要啊。 ※浩浩表情和口氣都很緊張

（下頁續）

Part 1

Part 2

Part 3

行為一	行為二	行為三
小東：是喔，那跟打籃球有什麼關係啊？ ※小東的口氣很不耐煩	小東：大概還有兩個星期吧！ 浩浩：那你再陪我加強練習好嗎？ 小東：沒問題，我們來開始練習吧！	小東：這是學校規定的啊！ 浩浩：反正我就是不要嘛！（浩浩生氣地說話） 小東：不要就不要，隨便你，我先回教室了。 ※小東的口氣很不耐煩

維持說話「考試分數」

片名：考試分數		
畫面	口白	非口語線索
場景：學校／教室／下課時間 浩浩拿著考卷坐在位置上。	小東：浩浩，你怎麼了，心情不好嗎？ 浩浩：是啊。 小東：怎麼了？ 浩浩：這次數學小考考不好。 小東：真的嗎？你考幾分？ 浩浩：才考80分而已。 小東：不錯啊，這樣還心情不好。 浩浩：唉呦，你不懂啦，我這樣會被我媽罵。	※浩浩臉上是彆扭嘟嘴的表情 ※小東的表情聲音很驚訝 ※浩浩講完頭就低下來
三個可以選擇的畫面		
行為一	行為二	行為三
※小東的表情聲音開心 小東：我這次有進步，我媽說只要我有進步，就要帶我去買一樣我喜歡的玩具耶。 ※浩浩抬起頭來，生氣地詢問小東 浩浩：小東，你是在跟我炫耀嗎？	小東：你媽真嚴格。不過說真的，這次的題目不會很難耶。 浩浩：那你考幾分？ 小東：82分啊。 ※浩浩的口氣有點生氣 浩浩：那跟我還不是差不多，哪會很簡單啊！	小東：是喔，那你媽媽都要你考幾分啊。 浩浩：一定要95分以上啊！ 小東：天啊，太誇張了，這根本不可能嘛。 浩浩：她才不管勒。

（下頁續）

行為一	行為二	行為三
小東：沒有啊，我只是說我媽要買玩具給我而已。 浩浩：買玩具有什麼了不起啊！ ※浩浩說完，不爽地拿著考卷離開教室		小東：不然，你請老師幫你跟你媽媽說一下吧。 浩浩：可以嗎？ 小東：應該沒問題吧，去找老師商量商量。 浩浩：好啊，那你陪我去。 小東：嗯。 ※浩浩和小東起身離開教室

維持說話「寢室安排」

片名：寢室安排		
畫面	**口白**	**非口語線索**
場景：學校／教室／下課時間 浩浩、小東和安安很開心地聊天。	小東：真開心，下個月就要畢業旅行了。 浩浩：是啊。 安安：你們決定好要跟誰一間寢室了嗎？ 小東：有啊，我要跟阿宏一間。 安安：是喔，我要跟小珍一間。 浩浩：……	※浩浩的表情有點欲言又止

三個可以選擇的畫面

行為一	行為二	行為三
※浩浩有點擔心的口氣 浩浩：你們說的寢室安排是怎麼一回事啊？ 小東：就是畢業旅行的時候，老師不是說六個人一間房間嗎？ 浩浩：真的嗎？ 安安：浩浩，你該不會還沒有找到室友吧？ 浩浩：那小東我可以跟你一間嗎？ 小東：好啊，那有什麼問題。	浩浩：你們那麼急幹嘛？老師不是說兩個星期後再討論的嗎？你們都不聽老師說的話，我要跟老師說。 小東：隨便你，到時你跟不熟的人一起睡，不要說我沒有提醒你。	※浩浩的口氣有點生氣 浩浩：都沒有人找我一間，你們真的很過分耶。 小東：你要說啊，不然我怎麼知道你要跟我當室友。 安安：對啊，浩浩你要主動找同學啊。 浩浩：我不要了啦，哼。

維持說話「昆蟲圖鑑」

片名：昆蟲圖鑑		
畫面	**口白**	**非口語線索**
場景：學校／教室／下課時間 　張老師宣布下課，浩浩馬上從抽屜拿出《昆蟲圖鑑》一書。 ※這時小東站起來拿著籃球，經過浩浩旁邊時，探頭過去看浩浩在看什麼	老師：好，下課。 小東：浩浩，你在看什麼啊。 浩浩：昆蟲圖鑑啊。 小東：看起來蠻酷的耶，最兇猛的昆蟲。 浩浩：是啊，我告訴你喔，這裡面有包含猛毒型、暗殺型、爆彈攻擊型、刺殺型還有寄生型喔。 小東：聽起來好像卡通的那些怪獸喔，不過我要去練習我的三分球囉。 浩浩：真的嗎？ 小東：是啊。	 ※浩浩眉飛色舞地對小東介紹 ※小東用手拍了拍球 ※浩浩的表情有點沮喪
三個可以選擇的畫面		
行為一	**行為二**	**行為三**
※浩浩急著一口氣要說完 浩浩：還有防禦型、獵殺型、吸血型、奇襲型和特殊能力型喔……	浩浩：小東等一下，你知道嗎，最酷的是這裡面有特殊能力型的昆蟲喔。 小東：真的嗎，什麼特殊能力啊？	浩浩：打籃球不好玩啦，你看這些昆蟲…… ※小東打斷浩浩 小東：哪會啊。 ※浩浩有點臭屁的說話

（下頁續）

行為一	行為二	行為三
※小東聳聳肩，轉身準備離開 浩浩：小東你很沒禮貌耶。 ※浩浩大聲斥責小東 小東：怎樣？ 浩浩：我還沒說完呀。 小東：我剛才說過，我要去打球啊，真無聊。	浩浩：你看這一種昆蟲可以利用觸角進行光合作用耶。 ※浩浩指給小東看 小東：哇，昆蟲可以進行光合作用，酷斃了，借我看一下。 浩浩：好啊，你看還有其他類型的昆蟲也很酷喔，像是防禦型、獵殺型、吸血型跟奇襲型喔。 ※畫面停在兩個人一起看書	浩浩：你就是不愛讀書，看書才會增加知識啊。 小東：你還不是只會看昆蟲的書，不理你了。

Part 1

Part 2

Part 3

維持說話「魔術方塊」

片名：魔術方塊		
畫面	口白	非口語線索
場景：家庭／客廳 　哥哥玩魔術方塊。 　浩浩看了一下後，開始轉動魔術方塊。 　哥哥的表情很驚訝。	哥哥：厂ㄡ丶，怎麼都解不開。 浩浩：那我來試試看。 浩浩：好了。 哥哥：喔，你還真厲害！ 浩浩：還好啦，沒有很難啊。 哥哥：欸，你玩魔術方塊這麼厲害，一定有什麼技巧，說來聽聽吧。	※哥哥用讚美的口氣說話

三個可以選擇的畫面		
行為一	行為二	行為三
浩浩：哥哥，有個魔術方塊的教學網站很棒喔，很容易學，我等一等 show 給你看。 哥哥：好啊。	浩浩：你就是啊，先找到第一層，然後找出它的中心塊，然後再轉到它的邊塊，之後啊再轉到角塊，再來就是進入第二層…… ※浩浩眉飛色舞地一直講 浩浩：還有啊，你進入第二層之後，…… 哥哥：喔好了好了，我不想聽了啦！	浩浩：這很簡單啊，你怎麼都不會，哥哥你很笨耶。 哥哥：厂ㄡ丶，就是不會才問你啊，你跩什麼跩啊！

維持說話「公車」

片名：公車		
畫面	**口白**	**非口語線索**
場景一：學校／教室／下課時間 浩浩一下課就興高采烈拿出書包中的臺北市公車紙模型，跟阿宏炫耀。	浩浩：阿宏，你看我昨天剛做好、熱騰騰的新鮮貨喔！ 阿宏：跟昨天的不一樣嗎？ 浩浩：當然不一樣，你看，光是車身顏色就不一樣。還有，雖然都是臺北市公車，但今天這台的型號是福田油電喔…… 阿宏：（不等浩浩說完）喔……（腳步不停地離開教室）	※浩浩手舞足蹈，聲音高亢，顯得很興奮 ※阿宏表情疑惑 ※浩浩說得興高采烈，口水直噴 ※阿宏感覺避之唯恐不及
場景二：學校／教室／下課時間 浩浩拿著公車模型，走向小東，小東隔壁的安安正低頭看考卷。	浩浩：小東，你看，我的新公車耶！ 小東：（看了浩浩一眼，轉向安安）安安，你昨天有沒有看唱歌比賽啊？競爭超激烈，分數不相上下，好緊張喔。	

（下頁續）

三個可以選擇的畫面		
行為一	行為二	行為三
浩浩：小東，我剛剛才在跟阿宏説而已，這台新的公車真的很厲害喔，它是繼我的 Michel 車體工業公司上回的環保綠能低油耗公車之後，又一環保力作耶…… ※小東沒有看浩浩，繼續面對安安 浩浩：（整理了一下珍愛的公車模型，繼續對小東説）你知道哪裡厲害嗎？它是油電混合車，而且又是低底盤…… ※小東和安安一起站起來，離開教室，留下浩浩	※浩浩表情疑惑和想要參與 浩浩：（放下公車）你們……在談唱歌比賽喔？ ※小東表情疑惑 小東：對啊？你有看嗎？ 浩浩：嗯……沒有看過這個節目啦，但我哥很喜歡看才藝比賽的節目。 安安：你應該多看，真的很刺激喔，而且他們的才藝都很好，很敢表演！ ※浩浩表情開心，有參與感 浩浩：好啊～	※ 浩浩口氣與表情不悅 浩浩：小東！你怎麼都不聽我説。 ※ 小東口氣無奈 小東：我就是不想跟你聊公車啊！ 浩浩：聊公車有什麼不好？很有趣耶！而且我每次坐到這些公車的時候，都會覺得好興奮喔。 小東：那是你啦，我沒興趣。 ※ 小東拉著安安走出教室 浩浩：是喔？ ※ 浩浩搔頭，表情疑惑，感到百思不解

維持說話「誰是代表隊」

片名：誰是代表隊		
畫面	**口白**	**非口語線索**
場景：學校／教室／下課時間 小珍（體育股長）正在看一張報名表，有點皺眉頭，浩浩看到走向小珍。	浩浩：小珍，妳在看什麼？好像有點煩惱耶。 小珍：代表班上參加桌球比賽的報名表啊！（把報名表給浩浩看）要六個人，時間都要截止了，可是我們只有五個人選！ 浩浩：（看了看報名表）我看看…… 浩浩：那就小東啊！他運動滿厲害的，怎麼沒在名單中呢？ 小珍：小東籃球不錯，但桌球……不行吧……	※小珍表情有點無奈 ※浩浩認真思索，3 秒後…… ※小珍面露為難的表情

（下頁續）

三個可以選擇的畫面		
行為一	行為二	行為三
浩浩：同樣是運動，應該沒問題吧！ ※小珍急促地說話 小珍：不同的運動差很多耶，你知道嗎？像籃球和桌球的動作很不一樣。唉喲！跟你講這麼多，找不到人了啦！ 浩浩：嗯……說的也是，那妳現在趕快想一想吧…… 小珍：好吧（口氣無奈）。	浩浩：反正都是運動，有什麼不一樣？ 小珍：當然不一樣，不同的運動，有時差很多耶。 浩浩：根本就一樣好不好。我跟妳保證小東一定沒問題。啊，算了，妳不聽就算了！ ※浩浩口氣有點不悅，轉身離開	浩浩：可以啦，運動都一樣啊。 小珍：不一樣！不同的運動需要的運動細胞有差別耶。 ※浩浩笑笑地堅持 浩浩：哪會？都一樣，選小東啦。 小珍：（瞪浩浩一眼）不跟你說了！ ※小珍說完低頭不理浩浩 浩浩：那妳說，那妳說，小東到底哪裡沒資格啊？

維持說話「超商」

片名：超商		
畫面	**口白**	**非口語線索**
場景：社區／便利超商／星期六下午 浩浩走進住家附近的便利超商，發現小東和媽媽也在裡面，小東看玩具，媽媽站在書報架前看雜誌。	浩浩：（對著小東和小東媽打招呼）小東！阿姨好！ 浩浩：（走向小東）你怎麼在這？ 小東：天氣好熱！這裡有冷氣。	※小東和媽媽往浩浩方向看，點頭微笑 ※小東說完繼續挑選玩具
三個可以選擇的畫面		
行為一	**行為二**	**行為三**
浩浩：（對著小東）我也覺得好熱喔！除了超商，還能去哪啊？ ※小東看了浩浩一眼，想了一下 小東：不知道耶！我只想到這裡。 ※小東又轉頭去看玩具 浩浩（音調稍提高）：對了！圖書館，你覺得圖書館怎樣？ ※小東口氣有點不耐 小東：不知道耶～要不然我也不會來這…… 浩浩：那還有哪裡啊？ 小東媽：小東，我們要走囉！（小東和浩浩點頭示意離開超商）	浩浩：（對著小東）是喔！那你幹嘛不去百貨公司咧？ ※小東瞪了浩浩一眼，繼續看玩具 浩浩：既然覺得熱，就應該要去圖書館、大賣場，像這些比較涼的地方啊！這種大熱天喔，實在是很討厭耶…… 小東媽：小東，我們要走囉！（小東和浩浩點頭示意離開超商）	浩浩：（對著小東）真的！今年夏天超熱的……你在看什麼啊？ 小東：喔！我在看有沒有新的玩具汽車，我媽要我挑給我弟當禮物。 浩浩：是喔！之前我弟跟我講一款新的玩具車，在……（邊說邊做眼神搜尋，手也邊找玩具櫃） 小東：如果找得到，那我可以參考看看！ ※小東表情和善覺得被幫助

維持說話「選擇晚餐」

片名：選擇晚餐		
畫面	口白	非口語線索
場景：家裡／客廳／放學以後的傍晚時間哥哥剛從學校回家，走進客廳，浩浩正看報紙。 ※哥哥表情平淡，走進廚房倒水 ※哥哥又走回客廳 ※哥哥聽完沒有反應，邊喝水邊離開客廳	浩浩：媽媽剛打電話回來說她會晚 10 分鐘回家，叫我們先討論好晚餐要吃什麼？ 哥哥：喔，我想想…… 浩浩：上星期吃過鍋貼，前幾天也吃過義大利麵…… 哥哥：所以咧？ 浩浩：啊！我知道了，吃牛肉麵。	※浩浩看著哥哥說話 ※浩浩說完後，低頭繼續看報紙 ※倒水的聲音 ※浩浩放下報紙，喃喃自語 ※浩浩表情興奮
三個可以選擇的畫面		
行為一	行為二	行為三
※浩浩表情堅定，看著哥哥 浩浩：吃牛肉麵啦。 哥哥：嗯……我想一想……	浩浩：哥哥，吃牛肉麵好嗎？ ※哥哥表情為難 哥哥：有點不太想耶！	浩浩：你幹嘛不回答啊？ 哥哥：我要想一想啊！ ※過了約 3 秒。 ※浩浩非常不耐煩

（下頁續）

行為一	行為二	行為三
※浩浩表情很急切，有點快哭出來 浩浩：就是要吃牛肉麵啊，不然你打電話給媽媽，說我們說好要吃牛肉麵！ 哥哥：就跟你說我想想，不要一直盧啦！ ※浩浩越說越大聲 浩浩：不管，我就是要吃牛肉麵。	浩浩：為什麼？是不喜歡家常麵嗎？ 哥哥：嗯…… 浩浩：那拉麵好不好？麵不一樣喔。 哥哥：我不想吃麵。 浩浩：不然吃巷口的那家炒飯？那裡有飯也有麵欸。 ※哥哥欣然同意 哥哥：好主意。	浩浩：到底想好了沒？快說啦！ ※哥哥瞪了浩浩一眼 浩浩：不吃牛肉麵，那你到底是要吃什麼？ ※哥哥轉身離開，不想理浩浩 浩浩：好啊，不講，那就都不要吃好了！ ※浩浩生氣，轉頭離去

維持說話「爸爸請稱讚我」

片名：爸爸請稱讚我		
畫面	口白	非口語線索
場景：家庭／廚房／晚上 爸爸在廚房洗（切）水果，浩浩拿著一張獎狀從客廳走向爸爸。	浩浩：爸爸，我今天週會的時候上台領獎，得到一張獎狀還有 100 塊的獎金喔。 爸爸：真的？那很棒啊！ 浩浩：嗯……（在想要講什麼）是因為我這次段考得到了進步獎。 爸爸：是喔？要繼續保持喔！	※浩浩表情愉悅，語氣興奮，但沒有把獎狀那爸爸看 ※爸爸口氣愉悅，頭未抬起 ※浩浩口氣比上次重一點，拿獎狀給爸爸看 ※爸爸微笑，抬頭看浩浩和獎狀一眼後繼續洗水果
三個可以選擇的畫面		
行為一	行為二	行為三
※浩浩口氣遲疑，邊講邊想 浩浩：爸爸……我……得了……進步獎…… 爸爸：（停止，抬頭）你說過了啊，很棒！	※浩浩聲音及聲調都提高 浩浩：爸爸！ ※爸爸有點嚇到 爸爸：怎麼了？ ※浩浩皺眉微怒	※浩浩表情及聲音流露出祈求的意思 浩浩：爸爸…… 爸爸：還有什麼事嗎？ 浩浩：你以前在學校會得獎狀嗎？

（下頁續）

行為一	行為二	行為三
※浩浩一臉猶豫，不知道要說什麼 浩浩：嗯…… ※爸爸一臉疑惑，看著浩浩	浩浩：我跟你說我得了進步獎，你好像沒有很開心欸。 ※爸爸表情疑惑 爸爸：我說你很棒啊！ 浩浩：可是你應該要多稱讚我一點啊！ 爸爸：……（墜入五里霧中）	爸爸：（微笑）會啊！ 浩浩：為什麼會得獎狀啊？ 爸爸：很多原因啊，像是成績進步、熱心服務、運動比賽、環保小尖兵、才藝表演等等。 浩浩開心地說：爸爸，你好厲害喔！ 爸爸：獎狀是給努力的人的獎勵，你要加油喔！

維持說話「點數換獎品」

片名：點數換獎品		
畫面	口白	非口語線索
場景：學校／教師辦公室／下課時間 浩浩走進輔導室，喊報告後，走向林老師，林老師正在使用電腦備課。	浩浩：老師，導師說這張回條要交給妳。 老師：（抬頭看浩浩）OK。準時交，很棒喔！（手接過回條） 浩浩：老師，我還想用點數換獎品耶。 老師：老師上次跟你說獎品都換完了，要等下學期，記得嗎？ 浩浩：啊，對喔！	※林老師立刻轉看電腦螢幕，忙碌狀 ※林老師停止動作，抬頭看浩浩 ※浩浩摸摸頭，有點尷尬
三個可以選擇的畫面		
行為一	行為二	行為三
浩浩：老師，對了，下學期可以增加文具類的獎品嗎？ 老師：文具？好啊！ ※立刻又回到工作 浩浩：老師，那我下學期再來換好了，再見！ 老師：好，記得要努力集點噢！	浩浩：老師，那可以換文具嗎？ ※林老師打開抽屜檢視 老師：文具？我看看。啊！也沒有了。 浩浩：（有點不耐煩）啥！怎麼這個也沒有，那個也沒有，也太衰了吧…… 老師：沒辦法啊！	浩浩：嗯，老師，那、那可以換餅乾嗎？ 老師：餅乾也是食物，要等下學期。 ※林老師開始有點不耐煩，轉身面對電腦 浩浩：嗯，對喔…… ※浩浩抬頭看天花板思考，思索很久，不肯離去

（下頁續）

行為一	行為二	行為三
	※手未停止工作，眼睛也沒看浩浩 浩浩：可是我明明有點數又換不到，這樣很不公平耶！ ※浩浩一臉不高興	老師：還有事嗎？ 浩浩：嗯……我在想……呃…… 老師：老師在忙，這裡是辦公室，等你想好了再來找老師吧。

維持說話「數學不太好」

片名：數學不太好		
畫面	**口白**	**非口語線索**
場景：學校／教師辦公室／下課時間 浩浩走進輔導室，喊報告後，走向林老師。	浩浩：老師，導師說這張回條要交給你。 老師：OK。準時交，很棒喔！ 老師：最近我有跟幾個老師聊一下你的狀況，發現你好像對不同的科目表現落差有點大耶！ 浩浩：（邊摸頭）還好啦！但是就數學一直滿弱的…… 老師：數學啊……	※下課鐘響聲音 ※浩浩有點不好意思，靦腆地笑了笑 ※浩浩愣了一下，笑得尷尬 ※林老師低頭沉思
三個可以選擇的畫面		
行為一	**行為二**	**行為三**
浩浩：…… ※東張西望，腳步緩緩往後面的門邊移動 ※林老師頭抬起來看到浩浩，他正在往後退 老師：你要去哪裡？	※林老師抬頭看浩浩 老師：也是啦！不過除了數學喔，英文應該也要加強吧。 ※浩浩口氣顯得有點不耐煩	※浩浩嘿嘿乾笑兩聲 浩浩：對了，我想起一件事情，上次國文小考的時候，我考了 92 分，國文老師說我的注釋背得很好耶。

（下頁續）

行為一	行為二	行為三
※浩浩突然拔腿就跑 浩浩：老師再見！	浩浩：老師，妳幹嘛都講我不好的科目啊，為什麼不講我好的科目呢？ 老師：老師是想關心你。 ※浩浩一臉不高興 浩浩：反正我就是有些科很爛嘛！	老師：92 分？這麼厲害，你對國文有信心耶。 浩浩：嗯，我下次也要考得一樣好。 老師：加油囉！ 浩浩：謝謝老師。

四、結束說話故事腳本

結束說話「打電動玩具」

片名：打電動玩具		
畫面	口白	非口語線索
場景：家庭／客廳 　哥哥把平板電腦放到桌上。 　浩浩頭湊過去看哥哥打平板電腦。	哥哥：ㄏㄡ丶，又失敗了。 浩浩問哥哥：哥，你在打電動喔？ 哥哥：是啊。	※電動遊戲背景音
哥哥又開始玩平板電腦。 浩浩講話的時候（頭靠哥哥更近），哥哥繼續玩平板電腦，根本沒有看浩浩（哥哥眼睛盯著平板電腦）。	浩浩：那你教我打，好不好？ 哥哥：喔！等我有空的時候再說。 浩浩：哥哥，這一關要怎麼過關？	※哥哥口氣平淡 ※哥哥眼睛一直在看平板電腦
	哥哥：嗯，找時間再教你。 浩浩：哥哥，你跟我說要怎麼過關啦！ 哥哥：喂，你真的很吵耶，你很煩ㄟ。	※哥哥口氣有點提高 ※浩浩的口氣有點盧哥哥 ※哥哥口氣很不高興

（下頁續）

三個可以選擇的畫面		
行為一	行為二	行為三
※浩浩繼續用盧的口氣和表情，而且一直戳哥哥的手臂 浩浩：不管啦，你現在就教我啦，你現在不是在打了嗎？ 哥哥：（非常生氣地說）你吵死了，講不聽喔。滾開啦！	※浩浩覺察到哥哥的口氣和表情，感到不好意思的表情 浩浩：好啦，那你先玩，那等一下一定要教我喔！ 哥哥：（口氣平和地說）好！沒問題！	※浩浩生氣的表情和口氣 浩浩：你踉什麼踉啊，不教就不教。 哥哥：（生氣地說）對啦！我就是不教你，怎麼樣？

結束說話「老師急著要去開會」

片名：老師急著要去開會		
畫面	口白	非口語線索
場景：學校／辦公室 　張老師坐在位子上正收拾著東西，準備要離開座位。浩浩剛好到老師的座位旁。	浩浩：老師好！ 老師：浩浩你好！有事嗎？ 浩浩：老師我想跟你說我前幾天在學校裡發現的昆蟲耶。 老師：喔！可是我等一下還有事情。 浩浩：沒關係啦，我跟你講一下！老師我跟你說喔，我發現有許多紅色的小椿象和天牛在樹幹上，而且………	※張老師聲音平淡
時間過了五分鐘		
張老師開始看手錶，表情著急、不耐煩。	※張老師聲音有一點提高 老師：浩浩，老師現在要去開會了。	

（下頁續）

三個可以選擇的畫面		
行為一	行為二	行為三
※浩浩用興高采烈的語氣繼續講 浩浩：等一下啦！我還沒說完耶，天牛的種類有好多，我發現我們學校裡就有六種喔，像是…… 老師：（口氣急促、不太高興地說）浩浩，老師現在要去開會了，你到底有聽懂了嗎？	※浩浩有點不好意思的表情 浩浩：喔！對不起，老師，那我們下次再聊好了，我先回教室了。 老師：好～我們下次再聊。 ※浩浩及老師各自離開	※浩浩想要繼續講，但老師已經不想講了 浩浩：老師你要去哪裡？我跟你去！那個天牛啊…… 老師：（口氣比較重，嚴肅不耐煩地說）浩浩！上課了，你現在立刻回教室！

Part 1

Part 2

Part 3

結束說話「急著去上廁所」

片名：急著去上廁所		
畫面	**口白**	**非口語線索**
場景：學校／走廊／下課時間 ※浩浩摸著肚子，很想上廁所的樣子，遠方出現廁所標誌 浩浩表情有點急，神情有點匆忙，走在走廊上急著要去上廁所。小東剛好走過來遇到浩浩，想起有事要跟他說。	浩浩：我好想上廁所。 小東：浩浩，老師剛剛說你的作業還沒交，叫我跟你說現在馬上交作業。 浩浩：喔，好！ ※浩浩繼續走向廁所方向 小東：我跟你說的話，你有沒有在聽啊？老師叫你現在馬上交作業！	※浩浩的表情很不舒服 ※浩浩說完後，從旁邊經過
三個可以選擇的畫面		
行為一	**行為二**	**行為三**
浩浩：我不交作業要你管。我要上廁所啦！ 小東：好，我要去告訴老師，你不交作業。	浩浩：我急著要去上廁所，等一下馬上交。 小東：嗯！好。	※浩浩直接跑掉，小東一臉茫然

結束說話「上課偏離主題」

片名：上課偏離主題		
畫面	口白	非口語線索
場景：學校／教室／上課時間 張老師與班上同學進行課堂討論，今天要討論的是如何減少二氧化碳的排放。 小東舉手 小美舉手 浩浩舉手 張老師看著小東和小美	老師：今天我們要討論如何減少二氧化碳的排放。 小東：我想應該減少開車，多坐捷運或公車。 小美：可以多走路或是騎腳踏車。 浩浩：我們家附近公園可以騎腳踏車。 老師：浩浩，現在的主題是談如何減少二氧化碳的排放。 浩浩：我很喜歡騎腳踏車耶。 老師：小東說少開車，多坐公車；小美說可以多走路或騎腳踏車，這都是很好的建議喔。好！現在把自然習作拿出來，翻到第二個單元。	※張老師使用詢問語氣 ※張老師有點皺著眉頭，看著浩浩

（下頁續）

三個可以選擇的畫面		
行為一	行為二	行為三
浩浩：老師，我覺得騎腳踏車很好玩。 ※張老師表情嚴肅 老師：浩浩，我們現在不談腳踏車，請你安靜。	浩浩：（繼續舉著手）老師都不叫我！算了，哼！ 老師：浩浩，我們現在不是談腳踏車，如果你想要談，下課再來找老師（有點生氣）。	※浩浩沉默不再說話，把習作拿出來，安靜上課

結束說話「鄰居阿姨下班」

片名：鄰居阿姨下班		
畫面	**口白**	**非口語線索**
場景：社區／走廊／回家下班時間 浩浩和鄰居阿姨同時走入場景中，浩浩及阿姨要分別進入自己的家門。 鄰居阿姨手上拿著許多的東西，窸窣的聲音極大聲，並同時用拿著很多東西的手來艱困地開門。 浩浩拿著鑰匙，看到鄰居阿姨，很高興地開始跟阿姨說話。	浩浩：阿姨，妳今天的東西買真多ㄟ。 阿姨：對啊，晚上大家都要回來吃，我快要來不及煮飯了啦……這門怎麼這麼難開啊 浩浩：阿姨，我還要再到妳們家玩電動玩具，上次那個電動玩具真的太好玩了。 阿姨：喔，這樣喔。 浩浩：阿姨，我還要吃妳上次給我吃的那個難排，超級好吃。 阿姨：喔，好重。這門怎麼打不開。	※阿姨皺著眉一直自言自語地碎碎唸著 ※塑膠袋聲 ※浩浩很興奮地說著 ※阿姨皺著眉，一副不想回答地繼續開門 ※鑰匙聲
三個可以選擇的畫面		
行為一	**行為二**	**行為三**
※浩浩很禮貌地說著 浩浩：阿姨，那妳先開門好了，我下次再去妳家。 ※阿姨很開心地開門 阿姨：浩浩謝謝你啊，再見。	※浩浩很興奮地繼續說著 浩浩：阿姨，如果妳再幫我買珍珠奶茶，那就更棒了。 阿姨：（阿姨皺著眉，把門打開後說）浩浩再見。	※浩浩沒有禮貌地問著 浩浩：ㄟ阿姨，妳怎麼都不說話？ 阿姨：浩浩，阿姨很忙，沒有空跟你說話，浩浩再見（阿姨皺著眉，把門打開後離開）。

結束說話「週末鄰居家」

片名：週末鄰居家		
畫面	**口白**	**非口語線索**
場景：社區／鄰居家／週六上午 11 點 30 分 浩浩媽媽和鄰居阿姨在愉快的聊天，浩浩在旁邊看電視。 浩浩媽媽眼睛先看著鄰居再看到牆壁上的時鐘後說話。	浩浩媽媽：上次那個喔，陳太太那件事真是太好笑了。…… 浩浩媽媽：哎呀，怎麼到了這個時間啦（浩浩媽聲音變大，變虛偽音），我都沒有注意，不知道妳來不來得及準備中餐了へ？ 阿姨：趕一趕，應該來得及啦。 浩浩媽媽：我想我也要快點讓妳忙了啦。	※浩浩媽媽邊笑邊說，但是鄰居阿姨一直看著牆壁上的時鐘 ※浩浩看了媽媽和阿姨一眼 ※浩浩媽尷尬地邊說邊站起來
三個可以選擇的畫面		
行為一	**行為二**	**行為三**
浩浩：媽媽，我們要回去了嗎？ 浩浩媽媽：（微笑著）對啊，中餐時間到啦，我們要回去準備了，也要讓阿姨忙囉。	※浩浩繼續坐在位置上，電視在前方，浩浩有點迷惘地看著媽媽和阿姨 浩浩媽媽：（面露尷尬狀）浩浩，快點起來了啦，我們要讓鄰居阿姨忙了啦！	浩浩：媽媽，阿姨她說來得及啊，我還要再看一下電視啦。 浩浩媽媽：（面露尷尬狀）浩浩，不可以喔，阿姨很忙喔，我們也要回去準備了。

結束說話「打電話問回家作業」

片名：打電話問回家作業		
畫面	**口白**	**非口語線索**
場景：家庭／客廳 　浩浩打電話問同學功課。 　浩浩打電話，小美接電話。 　畫面是小美講電話。	浩浩：喂，請問小美在家嗎？ 小美：我就是。 浩浩：小美，妳知道今天數學作業要寫到哪裡呀？ 小美：就是從第 15 頁到 18 頁啊。 浩浩：謝謝，喔對了，妳今天有看籃球隊比賽嗎？超好看的耶。 小美：嗯……	
	浩浩：那背號 5 號的好厲害喔。 小美：嗯！可是…… 浩浩：真的是一場很好看的比賽，妳有沒有去看？沒去看真的很可惜。 小美：（沉默不語）	※小美口氣停頓 ※小美語氣停頓
三個可以選擇的畫面		
行為一	**行為二**	**行為三**
浩浩：ㄟ！妳怎麼都不說話啊，妳啞巴喔。 小美：我在忙啦，再見（口氣不高興）。	浩浩：嗯！好，再見！ 小美：啊……？喔……再見（有點訝異）！	浩浩：喔！謝謝妳，那明天見。 小美：再見（鬆了一口氣）！

結束說話「不想借同學手錶」

片名：不想借同學手錶		
畫面	口白	非口語線索
場景：學校操場 　浩浩、阿宏在操場上走路，準備放學離開學校去安親班。	阿宏：浩浩，剛剛掃地時間我看到你買了新的手錶。借我看一下啦！ 浩浩：不行啦，安親班的車子已經在等我們了耶，快要來不及了。 阿宏：喔，看一下就好啦！借一下會死喔。 浩浩：不行啦，先上車再說。 阿宏：反正你就是小氣鬼。	
三個可以選擇的畫面		
行為一	行為二	行為三
※浩浩靜默不說話，繼續往前走 阿宏：等一下啦！	浩浩：（有點激動生氣）再不走就要被司機罵了，我要先走囉…… 阿宏：你生氣囉，等我一下啦！	※浩浩暴怒，推倒同學，大聲斥罵 浩浩：你了不起啊，罵我小氣鬼！我就是不想借你啊，怎樣？ 阿宏：你怎麼打人、罵人啊，我要跟你絕交了。

結束說話「媽媽下班好累」

片名：媽媽下班好累		
畫面	**口白**	**非口語線索**
場景：家庭／客廳／媽媽下班 媽媽下了班好累，一點都不想說話。媽媽累累地坐在沙發上休息，頭靠在沙發上。 浩浩過來要跟媽媽聊學校發生的事情。	浩浩：媽媽，我跟妳說，今天小東上課的時候玩手機喔！ 媽媽：喔！玩手機喔。 浩浩：可是馬上就被老師沒收了。 媽媽：喔！被老師沒收囉！ 浩浩：然後老師就警告我們，上課不可以玩手機。 媽媽：嗯。 浩浩：小東就很難過。 媽媽：小珍很難過喔。	※媽媽表情很累，被動回應 ※媽媽表情很累、被動回應 ※媽媽表情很累、被動回應（頭又靠回沙發，表示想結束） ※媽媽表情很累、被動回應
三個可以選擇的畫面		
行為一	**行為二**	**行為三**
浩浩：媽媽，我看妳很累的樣子，那我不吵妳了。 媽媽：（露出微笑）謝謝你，我真的很累了。	浩浩：媽媽，我跟妳說啦，小東後來又被老師叫起來罰站，而且…… 媽媽：（很累很無奈）浩浩，我累了，不要再說了。	浩浩：媽媽，妳說錯了，是小東。妳都沒專心在聽我說話。 媽媽：（露出抓狂的表情）我累壞了，你看不懂嗎？

附錄四 ▶ 溝通流程海報及電子圖檔使用說明

　　本書提供了四個向度的溝通流程海報（紙本）、一個完整的社會性溝通架構圖的電子圖檔，以及一個完整的輪流說話向度打斷流程圖的電子圖檔。在教學時，可以使用這些海報或電子圖檔來協助教學說明。以下是這些海報和圖檔的使用方式和時機的說明：

1. 四個向度的溝通流程海報：每個向度都有一張對應的海報，可在教學中使用它們，以幫助學生理解和記憶溝通流程的關鍵問題、判斷依據、線索及可以採取的具體行為。

2. 社會性溝通架構圖：這是完整地包含及展示四個向度關係的圖檔，藉由完整的社會性溝通架構呈現四個向度的溝通流程及其關係，向學生展示和解釋完整的社會性溝通所包含的每個步驟和其重要性。

3. 輪流說話向度打斷流程圖：這是輪流說話向度的其中一個圖檔，用於展示學生在輪流說話時該如何適宜地打斷對方說話。教學中，可以使用這個圖檔來示範和訓練學生在對話中如何適當地打斷和回應他人。

　　上述四張海報和圖檔都是有用的教學資源，可以根據不同的教學需求和情境使用。

一、四個向度的溝通流程海報及輪流說話向度打斷流程圖說明

四個向度的溝通流程海報及輪流說話打斷電子圖檔中，每個流程圖中都有粉紅色、綠色和藍紫色三種顏色的框框。**粉紅色框框**中的文字代表的是該向度中在溝通過程需要特別注意的**關鍵問題**，**綠色框框**中的文字代表的是用於解決這些關鍵問題的**判斷依據或線索**，**藍紫色框框**中的文字代表的是在這些關鍵問題得到解決後，可以採取的**具體表現行為**。

（一）開啟說話流程圖

在教學的過程中，可使用開啟說話的流程圖海報（參見圖 1），依照關鍵問題、判斷依據或線索及可以表現的具體行為，教導學生在開啟過程需注意的重點：

1. 當一個人開始想要找人說話時，要先確認「看到誰？」、「他有沒有空？」等**關鍵問題**。
2. 從「他有沒有空？」的關鍵問題中，可以依照**判斷依據或線索**，如「有空，可以說話」、「沒空，不適合說話」，來決定是否要開啟說話。
3. 從「有空，可以說話」判斷依據中，可以決定要表現開啟說話的**具體表現行為**，如「打招呼」或「說自己想說的話」。

4. 從「沒空，不適合說話」的判斷依據中，可優先考慮的是
「我急嗎？」的**關鍵問題**。如果「不急」，**具體表現行為就**
是「離開」；如果「很急」，**具體表現行為就是**「打招呼」
和「說緊急的話」。

在教學中使用此開啟說話流程圖海報，並搭配教學動畫（Flash）、教學 PPT 及《溝通密技小書》，可以幫助學生瞭解開啟說話的過程，從而提升他們開啟說話的相關能力及技巧。

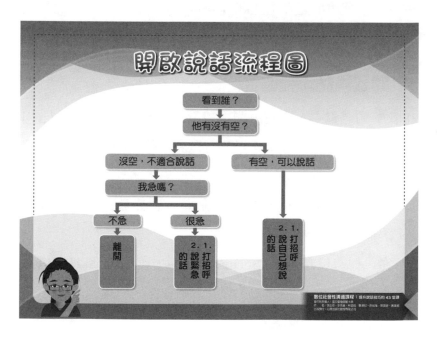

圖 1 ｜ 開啟說話流程圖

（二）輪流說話流程圖

在輪流說話教學的過程中，可以使用輪流說話的流程圖海報（參見圖2），依照輪流說話過程中的關鍵問題、判斷依據或線索及可以表現的具體行為，教導學生在輪流說話過程需注意的重點：

1. 在輪流說話時，依照「表情、動作、口語」的**具體表現行為**決定「對方有沒有選人說話」，而因著「對方有沒有選人說話」的這個**關鍵問題**，而會有「規則一、規則二或規則三」的**判斷依據或線索**。

2. 從「規則一、規則二或規則三」的**判斷依據或線索**，就可以決定在當下的**具體表現行為**是「自己說話」或是「自己不說話」。

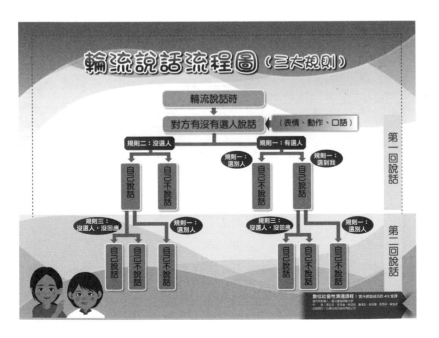

圖2│輪流說話流程圖

　　在輪流說話過程中，有時候依照「表情、動作及口語」的**具體表現行為**，來判斷對方已經「選別人」說話（規則一）時，這時候自己應該是不能說話的。但是因為某些原因，自己還是想要說話的時候，便需要打斷現在正在進行的對話，這時便需要適當地打斷。對學生而言，打斷的時機及方式需要大量的練習，其流程需可參考教學光碟中所附的「輪流說話流程圖（打斷）」（圖3）檔案進行教學。

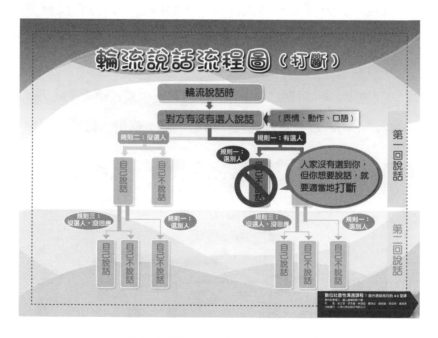

圖3　│　輪流說話流程圖（打斷）

　　在教學中使用這兩個輪流說話流程圖海報及電子檔，並搭配教學動畫（Flash）、教學 PPT 及《溝通密技小書》，可以幫助學生瞭解輪流說話的過程，從而提高他們在輪流說話時，能在正確的時刻適時地

參與和表達自己意見的能力。

（三）維持說話流程圖

在維持說話教學的過程中，可使用維持說話的流程圖海報（參見圖4），依照關鍵問題、判斷依據或線索及可以表現的具體行為，教導學生在維持過程需注意的重點：

1. 在說話時，先要確認「對方想繼續說話嗎？」這個**關鍵問題**後，利用對方有「問我問題」、「請我發表意見」、「看著我說話」及「繼續聊同一個話題」等**具體表現行為**來判斷「對方想繼續說話」。或是利用對方「沒有繼續聊同一個話題」、「出現不專注的神情或動作」等**具體表現行為**來判斷「對方不想繼續說話」。

2. 當確認「對方想繼續說話」時，要再問自己「我也想說話嗎？」這個**關鍵問題**後，**判斷**「我也想」的話，就要利用七個**具體表現行為**的策略來維持說話。另一方面，**判斷**「我不想」的話，則須再確認「需要配合對方嗎？」這個**關鍵問題**後，進一步判斷是否需要配合對方。如果**判斷**「需要」配合對方的話，就要利用七個**具體表現行為**的策略來維持說話；反之，**判斷**「不需要」配合對方的話，則可以結束說話。

3. 當「對方不想繼續說話」時，要問自己「我想說話嗎？」這個**關鍵問題**，**判斷**「我也不想」的話，就可結束說話。但如果**判斷**「可是我想」的話，則需透過七個**具體表現行為**的策略來維持說話。

圖 4　│　維持説話流程圖

　　在教學中使用維持説話的流程圖海報並搭配教學動畫（Flash）、教學 PPT 及《溝通密技小書》，可以幫助學生瞭解維持説話的過程，並學習如何有效地維持對話。

（四）結束説話流程圖

　　在結束説話教學的過程中，可以使用結束説話的流程圖海報（參見圖 5），依照關鍵問題、判斷依據或線索及可以表現的具體行為，教導學生在結束説話時需注意的重點：

圖 5 | 結束說話流程圖

1. 在說話時，首先確認「對方想繼續說話嗎？」這個**關鍵問題**後，利用「沒有繼續聊同一個話題」、「出現不專注的神情或動作」等**具體表現行為**來**判斷**「對方想繼續說話」或「對方不想繼續說話」。

2. 如果「對方想繼續說話」，要想一下「我也想說話嗎？」這**個關鍵問題**後，**判斷**「我不想」，就要想一下是否「需要配合對方嗎？」的**關鍵問題**，如果**判斷**「不需要」的話，就可以利用「不說話的暗示動作」、「有禮貌地正式結尾」、「說出總結性的話語」、「提出自己或對方要做的事」等**具體表現行動**來結束說話。

在教學中使用結束說話的流程圖海報並搭配教學動畫（Flash）、教學 PPT 及《溝通密技小書》，可以幫助學生瞭解結束說話的過程，並學習如何有效且有禮貌地結束說話。

二、社會性溝通架構圖

當我們在日常生活中與人交談時，人們通常會使用特定的說話架構來進行社交溝通，這些技巧對他們來說已經是自然而然，無需特別學習的。但對一些有特殊需求的學生而言，這些技巧可能會變得複雜和困難。因此，社會性溝通架構圖（參見圖 6）可以幫助老師使學生更容易理解對話的過程和技巧，並提供一個明確的框架來教授如何開啟、輪流、維持和結束說話。透過學習這些技巧，學生可以提高他們的社交能力和溝通技巧。

社會性溝通架構圖中包含開啟、輪流、維持及結束等四個向度的完整說話步驟，亦即是四個向度的統整架構圖。首先是開啟說話，接下來就進入需要輪流說話的狀況，在輪流說話的過程中，則需要維持說話的技巧才能確保對談能夠持續下去，但是如果不需要維持說話的時候，便需要有技巧地結束說話。在正常的對話中，這些說話技巧通常是按照先後順序進行的，但實際上，這些說話技巧的運用時機可以彈性使用，例如，在第一回輪流說話時就需要進行維持或結束說話的技巧，或者在開啟說話後立即判斷對方狀況，並快速採取下一步行動。

　　教學中，社會性溝通架構圖可以搭配四個向度的教學動畫（Flash）、教學 PPT 及《溝通密技小書》來幫助學生瞭解整個完整說話的過程，或雙方對話進行到哪一個向度的位階，以便提醒他們可以放慢腳步，進行說話策略的調整，達到有效且有禮貌地說話，進而增進其人際互動的品質。

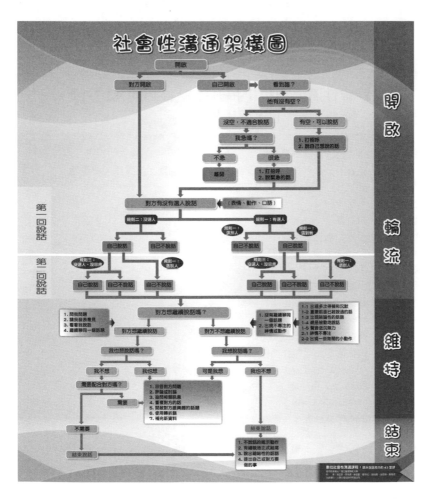

圖6 ｜ 社會性溝通架構圖

國家圖書館出版品預行編目（CIP）資料

數位社會性溝通課程：提升說話技巧的 43 堂課（指導
手冊）／張正芬, 李秀真, 林迺超, 鄭津妃, 顏瑞隆,
張雯婷, 黃雅君著. -- 初版. --
新北市：心理出版社股份有限公司, 2023.05
　面；　　公分. --（溝通魔法系列；65912）
ISBN 978-626-7178-48-5（平裝附數位影音光碟）

1.CST: 人際溝通　2.CST: 溝通技巧　3.CST: 數位學習

177.1　　　　　　　　　　　　　　　　112005124

溝通魔法系列 65912

數位社會性溝通課程：提升說話技巧的 43 堂課
【指導手冊】

著作財產權人：國立臺灣師範大學
作　　　者：張正芬、李秀真、林迺超、鄭津妃、顏瑞隆、張雯婷、黃雅君
執 行 編 輯：陳文玲
總 編 輯：林敬堯
發 行 人：洪有義
出 版 者：心理出版社股份有限公司
地　　　址：231026 新北市新店區光明街 288 號 7 樓
電　　　話：(02) 29150566
傳　　　真：(02) 29152928
郵撥帳號：19293172　心理出版社股份有限公司
網　　　址：https://www.psy.com.tw
電子信箱：psychoco@ms15.hinet.net
排 版 者：辰皓國際出版製作有限公司
印 刷 者：辰皓國際出版製作有限公司
初版一刷：2023 年 5 月
Ｉ Ｓ Ｂ Ｎ：978-626-7178-48-5
定　　　價：新台幣 900 元（含教學光碟）